VOOR ALTIJD BEROEMD

Mireille Geus

Voor altijd beroemd

Gottmer · Haarlem

Dit boek kwam mede tot stand door een beurs van Het Nederlands Letteren Fonds en het Vlaams Fonds voor de Letteren.

© 2010 Mireille Geus
© 2010 Uitgeverij J.H. Gottmer / H.J.W. Becht BV, Postbus 317,
2000 AH Haarlem (e-mail: post@gottmer.nl)
Uitgeverij J.H. Gottmer / H.J.W. Becht BV maakt deel uit van de
Gottmer Uitgevers Groep BV

Omslagontwerp: Steef Liefting
Vormgeving en zetwerk: Rian Visser Grafisch Ontwerp
Druk en afwerking: Wilco, Amersfoort

ISBN 978 90 257 4937 8
NUR 283

www.gottmer.nl
www.mireillegeus.nl

Voor Hanna.
Zonder jou was dit boek er niet.

Hoofdstuk een

De meester wordt langzaam roder. Albert wil de jongens wel waarschuwen, maar hij durft niet. Hij kijkt naar de meester. Albert weet wat er gaat gebeuren. Het is druk in de klas. Veel kinderen staan en een enkele loopt zelfs.

'Allemaal zitten!' Meester roept het hard en toch praten een paar jongens in het overvolle lokaal gewoon verder.

Zal Albert snel wat tegen ze zeggen? Maar wat als de meester dan boos wordt op hem?

Meester loopt naar de twee grootste druktemakers van de school en trekt er een aan zijn oor omhoog.

'Wat zei ik?' vraagt hij aan de jongen, die hij tot ooghoogte omhoog heeft getrokken en wiens oor steeds roder kleurt tussen zijn vingers.

'Ik weet het niet,' zegt de jongen en hij slaat zijn ogen neer. Hij bijt op zijn lippen om het niet uit te gillen van pijn.

'Ik weet het niet, meester,' zegt de meester voor.

'Ik weet het niet, meester,' zegt de jongen zacht. En dan nog zachter: 'Het spijt me.'

'Ah,' roept de meester, 'eindelijk hoor ik iets dat ik horen wil. Zeg het nog eens.'

'Het spijt me,' zegt de jongen snel.

7

De meester laat het oor los en glimlacht. Albert glimlacht ook. Zijn meester is de beste meester van de wereld. Zijn moeder vertelt hem soms over háár meester, van vroeger, die de kinderen sloeg, ze de hele dag met een bord met het woord ezel rond liet lopen of nog erger: ze vastzette in het blok, met hun armen en benen door een gat, soms urenlang. Hij weet wel dat zijn meester het vaak moeilijk heeft. Soms is het zo koud in de klas dat hij niks op het bord kan schrijven, omdat zijn vingers helemaal stijf zijn van de kou. Het valt niet mee voor de meester om van dat loontje van hem de klas de hele week warm te houden. Soms krijgt hij niet eens geld, alleen spullen: eieren of wat brood. En het lesgeven zelf valt ook niet mee. Allemaal kinderen van verschillende leeftijden, met verschillende lesjes, een hele school in één klaslokaal. Toch doet hij altijd zijn best om er wat van te maken. Behalve als de kinderen echt te slecht luisteren.

'Dus je hebt spijt,' zegt meester, 'dat is dan een mooi begin.'

De jongen grijpt naar zijn pijnlijke oor, alsof zijn hand eromheen de pijn kan verzachten.

Hij blijft voor de zekerheid enthousiast knikken naar de meester.

'Wat wil je eigenlijk worden?' vraagt deze aan de jongen.

De jongen haalt zijn schouders op. 'Geen idee.'

'Dus dat ontbreekt eraan!' zegt de meester. Hij bekijkt de slordige groep kinderen om hem heen. 'Wat wil jij worden?' vraagt hij aan een andere jongen.

'Staalmeester,' zegt de jongen meteen.

'En jij?' vraagt de meester aan een meisje.

'Moeder,' zegt ze zacht, terwijl haar wangen rood worden.

'En jij?' De meester kijkt Albert aan.

'Advocaat,' zegt Albert.

'Goede keuze,' zegt de meester. 'Nou jongen, goed je best blijven doen, je hebt er de hersens voor.'

Albert gloeit van trots. De meester heeft hem niet uitgelachen, nee, hij zegt zelfs dat Albert advocaat kan worden!

'En jij?' vraagt de meester opnieuw aan de jongen die hij aan zijn oor omhoogtrok.

'Misschien... eh, lakenkoopman of ambachtsman.'

'Dat klinkt niet slecht, maar denk je dat je dat kunt worden als je almaar praat? Als je niet weet wat er in de klas wordt gezegd?'

De jongen schudt zijn hoofd.

'Dus wat ga je voortaan doen, lakenkoopmannetje?'

'Opletten.'

'Juist.'

Meester haalt een prent tevoorschijn. Albert gaat wat rechterop zitten. Hij vindt het altijd erg leuk als meester over prenten vertelt.

'Kijk,' wijst meester aan, 'wat is dit, man van de lakens?'

'Een tol,' zegt de jongen.

'Wat kun je daarmee doen?'

'Spelen.'

'Maar hij speelt liever met wat anders!' roept een kind keihard. Niemand weet zeker wie het zei, maar er wordt wel heel hard gelachen. Ze hebben het over iets geheims, weet Albert.

'De tol kun je alleen in beweging krijgen door de zweep te gebruiken,' zegt de meester.

Hij kijkt de jongen diep in de ogen. 'Dit geldt ook voor sommige kinderen, die werken alleen als je de zweep erover haalt. Zoals jij. En jij...'

Meesters ogen dwalen de klas rond en hij kijkt de kinderen die hij bedoelt langer aan.

Albert staart naar de grond. Hij is bang voor de ogen van de meester.

Dan voelt hij een hand op zijn hoofd. 'Anderen hoef je niet aan te sporen, zij doen vanzelf wat nodig is.'

Albert weet dat hij deze dag vanavond in zijn bedstee lekker vaak opnieuw gaat beleven in zijn hoofd. Hoe alles ging, wat meester precies zei en hoe.

Meester wijst iets anders aan op de prent. De klas doet nu goed mee, maar Albert droomt weg. Steeds verder. Tot de bel gaat en Albert naar buiten rent.

Hoofdstuk twee

Natuurlijk kan hij het best even tegen een muurtje laten lopen, het zou erg opluchten en zo veel Amsterdammers doen het. Maar in zijn hoofd zegt zijn moeder luid en duidelijk: 'Het is geen 1500 meer, hoor, het is 1639 – buiten plassen doen tegenwoordig alleen nog mensen zonder opvoeding.'

Albert moet nodig. Heel erg nodig. En er is in zijn leven veel dat hij niet heeft, maar een opvoeding heeft hij wel. Zijn moeder is moeder en vader tegelijk sinds zijn vader niet meer terugkwam van zee.

Albert was toen nog heel klein, hij kan zich zijn vader niet herinneren.

Zijn moeder kan dat wel. Ze denkt vaak aan zijn vader. Albert ziet het soms aan de donkere blik in haar ogen, als ze denkt dat hij het niet merkt.

Albert zucht en loopt nog wat harder. Hij moet het ophouden tot thuis. Zijn cape trekt hij wat strakker om zich heen. Het is weer ontzettend koud buiten. De lucht is lichtgrijs en de wind waait stevig.

Vandaag was het in de klas net zo koud als gisteren. Bij iedereen thuis gaat de turf snel op. Niemand wil graag zijn kind turf meegeven voor de kachel op school, dus hebben ze het de hele dag koud.

Hij loopt nog wat sneller door.

Bijna glijdt hij uit over wat opgevroren water op de stoep. Hij weet zijn val op te vangen en dan voelt hij nog meer hoe verschrikkelijk nodig hij moet plassen... Zonder te stoppen rent hij naar huis.

In vijf grote stappen loopt hij door hun kamer naar de binnenplaats, opent daar de deur van hun privaat en kan dan eindelijk plassen. Het privaat is niet meer dan een gat in de grond met daarboven een plank met een gat erin, maar toch: het is van hen. Opgelucht stapt hij hun huis weer binnen.

Hij gaat zijn moeder, zo snel als ze thuis is van haar werk, vertellen dat hij advocaat kan worden!

Albert veegt de aarde van de wortels en legt ze in een kookpot. Hij pelt een paar uien. Zijn ogen tranen. Hij begrijpt niet dat zijn moeder er nooit van moet huilen. De gepelde uien snijdt hij in stukken en dan gooit hij er bier overheen, zodat het onderstaat.

Albert doet thuis dingen die andere jongens niet doen, zoals koken. Maar het kan niet anders. Zijn moeder komt pas laat thuis en een vader of een zus heeft hij nou eenmaal niet. Als hij niks doet, eten ze heel laat. Zijn moeder heeft veel trek als ze thuiskomt.

Nu hoeft hij alleen nog maar vuur te maken, zodat alles gaar kan worden en hun huisje alvast een beetje warm.

De kookpot hangt al een tijdje boven het vuur als zijn moeder binnenkomt. Het is al donker buiten, ook al is het net vier uur geweest.

'Wat ben je vroeg!' zegt Albert verrast.

'Ik ben vanmorgen wat eerder begonnen,' zegt ze en ze kust hem op zijn voorhoofd.

Ze snuift diep in. 'Het ruikt al lekker. Je bent een goeie jongen.'

Albert haalt adem en wil meteen vertellen over alles wat er in de klas gebeurde vandaag, over wat de meester zei, over dat hij advocaat kan worden. Maar er wordt op de deur geklopt.

Albert weet dat het de buurman is, Isaac. Die klopt altijd drie keer en daarna nog één keer. Dan weten zijn moeder en Albert dat er geen vreemde aan de deur staat.

'Doe gauw open,' zegt zijn moeder.

Ze hebben maar één kamer, waar ze slapen, zitten en koken, dus Albert is al snel bij de deur.

'Dag buurman,' zegt Albert en hij doet een stap naar achteren om Isaac binnen te laten.

'Dag knul.' Isaac laat zich op een stoel bij de tafel zakken. De stoel kraakt onder zijn gewicht.

'Dat is lang geleden,' zegt zijn moeder.

'Zeg dat wel,' zegt Isaac en hij likt zijn vlezige lippen af en wrijft in zijn enorme handen. 'Ik heb ook maar even, want ik moet terug naar de kinderen, hè?'

Sinds het overlijden van zijn vrouw Elisabeth aan lepra moet hij in zijn eentje voor zijn vier kinderen zorgen. Isaac kijkt om zich heen, alsof hij zeker wil weten dat hij wel op de juiste plaats is, bij de juiste mensen. Hij staart naar de bedstee van Albert, naar de tafel, naar zijn handen. Dan verschuift hij wat op de stoel en legt zijn handen op tafel.

'Jullie weten dat er morgen weer een lepraloterij is? Dat we weer geld gaan inzamelen voor het leprozenhuis? Om ervoor te zorgen dat mensen gezond worden of in ieder geval apart gehouden kunnen worden zodat we niet allemaal ziek worden? Dat weten jullie toch?'

Albert knikt. Natuurlijk weet hij dat. Het zijn grote loterijen met veel mooie prijzen, zoals geld en zilveren schalen. Zijn moeder en hij kopen altijd wat loten. Op de loterij van morgen willen ze ook weer wat loten kopen. Ze hebben nog nooit iets gewonnen, maar het is wel leuk om mee te doen, en na de loterij is er vaak nog een spannend of grappig toneelstuk te zien.

'We doen toch altijd mee?' vraagt zijn moeder aan Isaac.

'Vorige keer hadden we een heel grappig stuk, weten jullie nog? Over die misdadiger die zijn broek had laten liggen?' Isaac kijkt ze vragend aan.

Albert glimlacht. Inderdaad, daar ging het over. Er werd heel wat heen en weer gerend en soms zag je een stukje blote bil. Dan gilden de vrouwen in het publiek geschokt.

'Ik was ceremoniemeester, ik praatte alles aan elkaar: de loterij, de tussenstukjes bij het toneel en na afloop, weten jullie nog?'

'We weten alles nog,' zegt Alberts moeder, 'maar wat is ermee?'

'Nou, kijk,' zegt Isaac, 'het zit zo. Ik dacht... want deze keer... omdat het anders dus...'

Albert kijkt zijn moeder vragend aan. Isaac weet altijd precies wat hij wil zeggen.

'Ja?' vraagt Alberts moeder.

'Ik had gedacht... Zou Albert deze keer niet ceremoniemeester kunnen zijn?' Weer kijkt Isaac naar de bedstee van Albert, alsof daar het antwoord ligt op zijn vraag.

Albert voelt zijn hoofd bonzen. Hij begrijpt de vraag niet, en als hij de vraag wel begrijpt, vindt hij het ongelooflijk dat die gesteld is. Zo'n belangrijke taak, zeker voor een kind... Voor iemand van zijn leeftijd, bijna man, dat wel, zou dat een ongelooflijke eer zijn.

'Ik snap het niet,' zegt Alberts moeder rustig. 'Die lepraloterij moet veel geld opbrengen. Jij kunt het goed ophalen. Er is heel veel geld nodig, omdat het om een besmettelijke ziekte gaat en omdat niet nog meer mensen zweren moeten krijgen of blind moeten worden. Jij kunt de mensen overtuigen, jij weet hoe je dat moet doen. Ik ril altijd bij de voorbeelden die jij geeft. Waarom vraag je nu mijn zoon?'

'Wat ik wil weten is of Albert deze keer ceremoniemeester wil zijn,' zegt Isaac en hij likt zijn lippen nog maar eens af. 'Ik kan het niet doen, morgen. Albert is nog wel jong, maar ik denk dat hij het kan.'

'Ik wil best!' roept Albert.

'Maar ik beslis,' zegt zijn moeder streng. De laatste tijd probeert Albert haar net wat te vaak de baas te spelen.

'Hij wordt groot, hè, dan krijg je dat...' zegt Isaac.

'Hij is wel al dertien, maar groot...?' zegt Alberts moeder spottend. Albert is juist erg klein voor zijn leeftijd en zijn moeder is de enige die daar wat van mag zeggen.

'Waarom kun jij het niet doen?' vraagt zijn moeder. En als Isaac niks zegt voegt ze daaraan toe: 'Isaac?'

'Ik voel me niet goed. Helemaal niet goed. Waarschijnlijk ga ik binnenkort dood, maar dat lijkt me helemaal niet erg. Dan zie ik mijn Elisabeth tenminste weer. Ik vind het niks, als man alleen met die kinderen. Het is misschien wel zielig voor ze als ze alleen achterblijven, maar ze zijn jong, ze redden zich wel.' Hij kijkt Alberts moeder uitdagend aan.

Isaac zegt altijd zulke dingen, ze zijn eraan gewend. Maar toch gaat Alberts moeder ertegenin. 'Ik wil dat gepraat over doodgaan en dat het niet erg is hier niet meer horen. Is dat duidelijk?' zegt ze. 'Dus morgen is de grote lepraloterij en jij bent ziek, zieker dan je dacht en zieker dan ik dacht.'

Isaac buigt zijn hoofd.

'En je wilt dat Albert het van je overneemt? Mijn kleine jongen moet dat spektakel aan elkaar kletsen, zorgen dat iedereen vrijgevig is? Hij moet dus... Zoiets heeft hij nog nooit eerder... Waarom hij?'

15

'Eerlijk? Of aardig?' vraagt Isaac.

'Eerlijk graag,' zegt zijn moeder.

'Nou, niemand anders kon of wilde. Ik ben bij vier mannen geweest en heb het aan hen en hun grote zonen gevraagd.' Hij schudt zijn hoofd. 'En ik kan het zelf echt niet. De tijd dringt. Albert is mijn laatste kans. En ik denk wel dat hij het kan.'

'Mag het?' vragen Isaac en Albert als uit één mond.

'Ik zal erover nadenken,' zegt Alberts moeder.

Het is te donker in de kamer om haar ogen goed te zien, anders had Albert het antwoord al geweten.

Als Isaac weg is, haalt zijn moeder de kookpot van het vuur en roert de inhoud door elkaar. Vlak voor het opscheppen haalt ze met langzame bewegingen een zakje tevoorschijn, pakt er een brokje nootmuskaat uit en haalt het brokje langs de nootmuskaatrasp. Alles smaakt beter met nootmuskaat erop. Het is het laatste wat Alberts vader hun heeft nagelaten. Hij bracht het mee van zijn voorlaatste reis, de reis voordat hij nooit meer terugkwam. Ze schept de hete brij op een plak roggebrood; die ligt al klaar op hun eigen plek aan tafel.

Albert blaast en eet wat. Hij maakt al etende een stukje roggebrood vrij en breekt het af.

'Lekker,' zegt hij en zijn moeder knikt.

Hij weet dat hij haar nu niks moet vragen. Niet moet doorzeuren of drammen, maar gewoon afwachten. En dat vindt hij het moeilijkste dat er bestaat: niks doen.

Als hij later in zijn bedstee ligt denkt hij aan Isaac, aan diens vraag, aan wat er morgen gaat gebeuren als hij het mag doen van zijn moeder. Hij zucht diep. Dat zou wel geweldig zijn.

Heel zacht stapt hij uit de bedstee, slaat een cape om, trekt zijn schoenen aan en loopt naar de kleine binnenplaats. Hij blijft naast het privaat staan en kijkt omhoog naar de donkere nacht. Tegen de diepzwarte lucht ziet hij alle sterren en de maan. Morgen zal iedereen naar hem kijken. Iedereen zal naar hem luisteren. Opeens schiet door zijn hoofd dat hij zijn moeder wilde vertellen over wat er vandaag in de klas was gebeurd. Over dat zijn meester dacht dat hij best advocaat zou kunnen worden. Dat hij er de hersens voor heeft. Dat is hij helemaal vergeten te zeggen!

Als hij eerlijk is, voelt hij zich soms klein onder die grote hemel, nog kleiner dan hij al is. Maar vannacht niet. Hij staat op het binnenplaatsje en kijkt omhoog, voelt zich een met alles, verbonden met de sterren, met de grootsheid ervan. Albert wordt helemaal rustig. Sterk. Morgen zal hij zijn moeder vertellen wat zijn meester zei. Hij ademt de nachtlucht in tot hij het te koud krijgt en naar binnen moet.

Niet lang daarna valt hij in een diepe slaap.

Hoofdstuk drie

Hij wordt wakker van de waterpomp en het klaterende water. Albert duwt het deurtje van zijn bedstee wat verder open en kijkt waar al dat geluid vandaan komt.

'Ga nog maar even slapen,' zegt zijn moeder, 'anders ben je straks te moe om het goed te doen.'

Meteen zit Albert rechtop in zijn bedstee.

'Dus het mag?'

'Ik ben onze capes aan het wassen, ik wil niet dat mensen denken dat je kleren vies zijn. Dan geven ze misschien minder.'

Albert staat binnen drie stappen voor zijn moeder en omhelst haar. 'Mam, je bent geweldig, echt. Ik ben zo blij dat je het goedvindt.'

Ze duwt hem een beetje naar achteren en kijkt hem aan. 'Je vader zou trots op je zijn geweest.' Dan buigt ze haar hoofd over de zware cape en knijpt in de stof.

'Laat mij je helpen, dat ding is loodzwaar.'

Samen zorgen ze ervoor dat de cape eerst met zeep wordt behandeld en daarna uitgespoeld wordt, dan tillen ze hem snel naar de binnenplaats en leggen hem over een touw, waar hij uit kan druppelen en droog kan worden.

'Nu mijn cape nog,' zegt zijn moeder en ze zucht.

'Laat mij dat maar doen.'

18

'Je moet nog even gaan slapen. Ik ben heel vroeg opgestaan, zodat de capes de tijd hebben om te drogen.'

'Mam, kijk naar me, denk je nou echt dat ik nog kan slapen?'

Ze giechelt, waardoor ze jonger lijkt.

'Goed,' zegt ze, 'dan maak ik wat te eten voor je klaar.'

Er wordt drie keer en dan één keer op de deur geklopt. Isaac.

Alberts moeder opent de deur. 'Dag buurman,' zegt ze.

Isaac doet een stap naar binnen en vraagt meteen: 'En?'

Als antwoord knikt ze.

Isaac grijnst opgelucht. 'Ik kon er vannacht niet van slapen. Maar ik was niet de enige, geloof ik.' Hij geeft Albert een knipoog.

Alberts moeder kijkt verbaasd van de een naar de ander.

'Laat maar,' zegt Isaac, 'ik zal je vertellen wat je moet weten.'

Hij kijkt naar de natte stof in de handen van Albert. 'Wat is dat?'

'Dit is mijn moeders cape en de mijne hangt al buiten.'

'Je gaat toch niet midden in de winter een cape wassen? Die krijg je nooit droog.'

'We proberen het,' zegt Alberts moeder. 'Ik kan hem toch niet met zo'n vuile cape om in de aandacht zetten?'

Isaac haalt zijn schouders op. 'Als het niet lukt, heb ik nog wel een droge voor je,' zegt hij tegen Albert. En dan kijkt hij naar diens moeder. 'Voor jou niet, ik heb alle spullen van Elisabeth aan de armen gegeven.'

Isaac laat zich op een stoel zakken.

'Voel je je wel goed?' vraagt Albert verschrikt als hij Isaacs witte gezicht ziet.

'Nee,' zucht Isaac, 'ik ga denk ik gauw... Van mij mag het allemaal...' Hij stopt midden in zijn zin als hij de felle blik van Alberts moeder opvangt.

Isaac kijkt naar de natte cape, naar het ontbijt dat nog opgegeten moet worden. 'Kom straks maar naar me toe, dan vertel ik je wat je moet weten.'

Hij loopt naar de deur. 'Waar het allemaal om draait is dat de lepraloterij laat zien wat ze eigenlijk wil zijn, dat je ziet wat ze gelooft te zijn en dat je in ieder geval weet wat ze wil lijken.' Hij kijkt naar het vragende gezicht van Albert, lacht bulderend, wankelt, grijpt zich vast aan de deur en stapt naar buiten. 'Denk daar alvast maar eens over na.'

Hoofdstuk vier

'We gaan nog even zitten voor we vertrekken,' zegt Alberts moeder.

Ze zijn de hele dag bezig geweest met klussen. Eerst heeft zijn moeder Albert op luizen bekeken en daarna bekeek hij haar erop. Ze hadden alle twee bijna niks, gelukkig.

Albert klopte zijn eigen bedstee uit en zijn moeder die van haar. Ze wasten zich van top tot teen, controleerden steeds of de capes al droog werden, maar steeds luidde het antwoord: nee.

Albert poetste hun schoenen met vet tot ze glommen. Een fijne taak vindt hij dat altijd. Het vet ruikt prettig en de schoenen lijken wel nieuw na de behandeling. Je ziet bijna niet meer dat ze al zo oud zijn.

Daarna ging hij naar Isaac en luisterde naar alle aanwijzingen. Er zouden wel honderd mensen komen, dus moest hij hard praten, de hele tijd door, enthousiast doen, het publiek erbij betrekken door vragen te stellen, een grapje te maken. Isaac zei al wat grapjes voor. Albert leerde hoe hij de nummers van de loterij moest voorlezen. 'Zeuven' moest hij zeggen en niet 'zeven', zoals hij gewend is. Want 'zeven' lijkt te veel op negen en je had er niks aan als iemand ten onrechte dacht iets moois gewonnen te hebben.

Isaac praatte en praatte tot hij moe werd, en toen ging Albert terug naar huis, zijn hoofd vol informatie, té vol eigenlijk.

'Wil je nog wat drinken?'

Albert schudt zijn hoofd.

'Je kunt nu nog nee zeggen, het niet doen.'

Albert schudt zijn hoofd. De hele dag voelt hij zich al vreemd. Alsof er beestjes onder zijn huid lopen.

'Dat is een grapje, lieverd,' zegt zijn moeder.

'O,' zegt Albert.

Het is een tijdje stil.

'Het gaat vast heel goed. En als dat niet zo is, dan wordt het altijd weer avond,' zegt zijn moeder.

Albert knikt.

'Dat je het wilt doen, een belangrijke rol wilt vervullen, dat alleen al maakt me trots.'

Ze schuift hem een koek toe, van bakker Luydens, de lekkerste bakker in de buurt.

Het is een zalige koek, een dure koek. Het water loopt hem in de mond.

Albert breekt 'm in tweeën en geeft zijn moeder de helft.

Ze schudt haar hoofd. 'Ik heb de mijne al op.'

Hij weet dat het niet waar is en duwt de halve koek in haar richting. Ze bloost licht onder zijn blik, maar duwt het stuk terug. 'Die is helemaal voor jou.'

Albert stopt een stuk van de koek in zijn mond, maar hij kauwt er niet op. Zo kan hij er langer van genieten.

Zijn moeder staat op en voelt buiten aan de capes. Ze komt terug en zegt: 'Ze zijn nog nat.'

'Wat nu?' Het is erg koud buiten.

'Je moet maar naar Isaac gaan en een cape van hem lenen. Let erop dat het een knappe is en geen vies vod.'

'En jij?'

Zijn moeder maakt een achteloos gebaar met haar rechterhand.

'Ik trek een paar warme hemden over elkaar aan, dan gaat het best.'

Albert slikt een stuk koek door en neemt een nieuwe hap. Een grote. Wachten vindt hij ongeveer het moeilijkste dat er bestaat.

'Daar is het,' zegt zijn moeder en ze wijst naar de menigte.

De veel te grote cape van Isaac sleept over de grond. Albert voelt zich zo al klein, maar wordt nog kleiner als hij de menigte ziet.

'Je kunt het,' zegt zijn moeder.

Albert gaat iets rechterop lopen.

Ze wringen zich door de groep mensen door naar voren.

Albert herkent een man als de misdadiger uit het vorige spektakelstuk.

Hij krijgt een hand, iemand pakt een kruk en zet hem erop.

Albert kijkt naar de verzameling mensen voor hem. Zijn hart bonkt in zijn keel. Hij heeft het gevoel dat hij ieder moment moet overgeven. De beestjes onder zijn huid duwen met al hun kracht tegen zijn vel, het staat strak. Hij probeert te denken aan alle goede raad van buurman Isaac. Aan Isaacs moppen. Maar in zijn hoofd is niks anders te vinden dan dikke mist. Het liefste zou hij weg willen rennen, heel hard.

Hoofdstuk vijf

Thuisgekomen wil hij meteen in zijn bedstee kruipen, de deurtjes dichtdoen, zijn hoofd onder de dekens stoppen en er nooit meer uitkomen.

'Het ging best goed,' zegt zijn moeder troostend.

'Nee, het was slecht, ik deed het vreselijk,' zegt Albert. 'Jij hebt me altijd geleerd dat ik eerlijk moet zijn en nu zeg je dit...'

'Ho, ho, niet zo brutaal,' zegt zijn moeder streng, om daarna wat zachter te vervolgen: 'Het was niet heel slecht. Zeker niet als je bedenkt dat je het nog nooit eerder hebt gedaan.'

Zijn moeder maakt de kachel aan. Ze houdt haar handen bij het kleine vuur en ze trillen.

'Wat is er?'

'Beetje koud,' zegt ze en ze hoest.

Albert ziet haar opgetrokken schouders, haar witte vingers, haar rode gezicht; hij doet de cape van Isaac af en legt die om haar heen.

'Zal ik honingdrank maken?' vraagt Albert.

Ze glimlacht. 'Lekker.'

Als ze even later samen aan de honingdrank zitten, zeggen ze een hele tijd niks. Ze zijn alle twee verdiept in hun eigen gedachten. Albert denkt aan zijn taak als ceremoniemeester.

Dat mensen moesten lachen, zeker, maar niet om de goede redenen. Niet omdat hij grappig was of deed. Ze lachten hem uit. Hij viel drie keer van de kruk. Hij versprak zich, vertelde moppen zonder clou. Hij hield de prijzen omhoog en iedereen zag de rafelrand aan de cape van Isaac. Albert kondigde de verkeerde activiteiten aan en wist de titel van het spektakelstuk niet meer. Toen de acteurs hem die toeschreeuwden, verstond hij het verkeerd en zei iets heel anders. 'De drie gebruiken' en 'De drie gaan duiken' lijkt ook echt op elkaar. Zeker als het je van een afstand wordt toegeschreeuwd.

'Wat nu?' vraagt Albert.

'Nu drinken we lekker honingdrank en dan krijgen we het weer een beetje warm. Straks ga je naar Isaac en doe je verslag. Je hebt net zoveel opgehaald als hij de vorige keer, dus hij zal best tevreden zijn. Misschien wil de jonge prins voor zijn moeder, de oude koningin, nog wel een kom volschenken?'

Albert kijkt verrast op. Het is een spel dat ze al heel lang niet meer hebben gespeeld, het spel van de jonge prins en de oude koningin. Vroeger speelden ze het regelmatig. De oude koningin was de baas in haar eigen land en deed wat ze wilde, en de jonge prins werd opgeleid om haar op te volgen. Waarschijnlijk ging hij ook gewoon doen waar hij zin in had, maar anders dan zijn eigen oude moeder.

'Natuurlijk wil de jonge prins dat graag doen,' zegt Albert en hij staat op.

Hij schenkt een volle kom in. Haar handen trillen nog steeds van de kou.

'Hoe staat het leven in ons koninkrijk?' vraagt de jonge prins.

'Het is goed dat de jonge prins ernaar informeert,' zegt de oude koningin. 'Het volk is blij en dankbaar dat we onze taken vervullen. Iemand moet het doen. Dan is het belangrijk dat het iemand is met het hart op de juiste plaats en met een helder hoofd. Iemand die inzet toont. Ook al zijn we toevallig in deze belangrijke positie terechtgekomen, dat doet niks af aan het feit dat het verantwoordelijkheden geeft. En nu we het toch over verantwoordelijkheden hebben, dat brengt me bij…'

Ze verzinnen samen een heel nieuw hoofdstuk voor hun koninkrijk. Volgens de oude koningin willen sommige onderdanen met de jonge prins trouwen. Ze stelt hem aan verschillende dames voor. Geen van de dames is perfect. De ene is kaal, de andere slist, een derde heeft een korter been. De jonge prins praat met hen allemaal en vindt steeds nieuwe woorden om ze elegant af te wijzen. 'Hoewel uw ogen stralen als sterren, kan ik u niet als echtgenote nemen, omdat ik dan 's nachts niet kan slapen. Hoewel uw woorden mij betoveren, kan ik u niet als echtgenote nemen omdat ik geen man van het woord ben.'

Als hij uiteindelijk met de envelop met de opbrengst van de lepraloterij naar Isaac vertrekt, heeft hij een glimlach om zijn mond. Net als zijn moeder.

Hoofdstuk zes

Het is weer druk in de klas. Albert houdt zijn adem in. De meester grijpt een kind vast dat veel lawaai maakt en brult: 'Ophouden!' De hele klas is meteen stil. Er wordt alleen nog gekucht en af en toe hoest er iemand. Niet zo erg als zijn moeder de laatste tijd hoest, maar toch wel behoorlijk.

'Jullie kunnen toch wel eventjes helemaal stil zijn?' Meester kijkt boos rond.

Niemand durft antwoord te geven op deze vraag. 'Ik draai mijn zandloper om en wie iets zegt voor die half leeggelopen is, zit zwaar in de problemen.'

De kinderen kijken naar hun meester en zien dat hij het meent.

Ze wachten tot hij de zandloper omdraait, en niemand in de klas is van plan de stilte te verstoren. Niemand.

Dan klinkt er een luide scheet. Een paar kinderen knijpen hun neus dicht en kijken naar Jacob. Jacob stinkt. Hij stinkt altijd al, maar het ergst als hij een grote boodschap doet. Dat weet iedereen. Soms lukt het Jacob om hem thuis te doen, maar heel vaak moet hij op school, in de klas. En wat de kinderen ook doen om maar niet op de stank te letten, het lukt niet. Het is te erg.

'Is het weer zover?' vraagt de meester aan Jacob en die knikt benauwd. Hij vindt het ook niet leuk, maar hij kan het moeilijk inhouden. Hij loopt naar het stilletje, pakt het op en zet het wat ach-

27

ter in de klas. Hij laat zijn broek zakken en hangt zijn lange hemd over het stilletje. Dan wordt zijn gezicht langzaam rood.

'Een verhaal,' zegt meester, 'we hebben een goed verhaal nodig. Een verhaal dat ons alles doet vergeten. Wie weet iets?'

'Vertelt u nog eens over de tenensnijder!' roept een kind.

'Ik hoorde dat hij vannacht weer op pad is geweest,' zegt meester meteen. 'Heeft iedereen zijn tenen vanmorgen geteld?'

Een paar jonge kinderen trekken meteen hun kousen uit en tellen hun tenen. Sommige kinderen wapperen weer heel erg met hun handen, vanwege die stank: de zware geur van tenenkaas.

'Nee, vertelt u alstublieft over Lijs Huijk met de vreselijke Ongeboren Gerrit,' roept een van hen.

'Jaaa!' roept een heel stel anderen.

'Wie vond mijn vorige verhaal over Lijs Huijk met de vreselijke Ongeboren Gerrit te eng?' vraagt meester. 'Dan kun je nu je hand opsteken.'

Niemand steekt zijn hand op. Albert weet zeker dat veel kinderen wakker hebben gelegen van dat enge verhaal. Ook Albert was wekenlang bang als hij 's nachts naar het privaat moest, waar de Ongeboren Gerrit op hem wachtte, klaar om hem leeg te zuigen, uit te knijpen, te ontdoen van alle leven dat in hem zit.

'Dan kan ik het volgende verhaal nog wat enger maken,' zegt meester, 'of niet?'

Niemand zegt iets.

Nog spannender, denkt Albert. Hij huivert. Zal hij zeggen dat hij het vorige al spannend genoeg vond? Of kan hij beter zijn mond houden?

Jacob staat op van het stilletje en de doordringende geur van verse poep verspreidt zich door het lokaal.

'Snel, meester, snel! Een verhaal! We houden het niet meer uit!'

Meester knikt, glimlacht, loopt naar de deur, opent die, haalt buiten op de gang diep adem, komt het lokaal weer binnen en begint.

'Lijs Huijk was uitgeschakeld, dus de Ongeboren Gerrit kon doen en laten wat hij wilde. Nu weet iedereen dat Ongeboren Gerrit geen goede wil had. Alles wat Ongeboren Gerrit wilde was donker, rauw, bloeddorstig en gevaarlijk. Ook die dag zat zijn hoofd weer vol gal. Gal die hij over de wereld wilde verspreiden. Over de wereld van de levenden, waar hij geen deel van uitmaakte.'

Albert luistert met open mond naar meester.

Als de bel gaat, het verhaal ophoudt en Albert naar huis mag, durft hij eigenlijk niet. Wat als Ongeboren Gerrit achter hem aan komt? Of erger nog: thuis op hem zit te wachten?

Hij helpt de leien opruimen, verzamelt de griffels, veegt de vloer aan. Meester glimlacht naar hem. 'Het is maar een verhaal, jongen,' zegt hij, 'er is niks van waar. Ga nu maar.'

Albert glimlacht onzeker terug en verlaat met lood in zijn schoenen het lokaal.

Er waait een stofwolk door de straat, een grote zwarte wolk viezigheid, en daartussen dwarrelt een velletje papier. Albert volgt de vuile wolk. Dat geeft wat afleiding van zijn angst. De wolk waait voor hem uit over de grond. Hij loopt iets harder, wil het papiertje oppakken. Dat kan hij nog gebruiken om op te schrijven of voor in de kachel. Hij ziet dat er iets op staat. Maar voor hij het goed kan zien blaast de wind het voor hem uit. Pesterig bijna. Alsof hij wil zeggen: pak me dan, als je kan.

Dat kan ik, je pakken, denkt Albert, en hij rent drie passen en neemt een duik. Triomfantelijk houdt hij het papier omhoog. De gedachte aan Ongeboren Gerrit is even verdreven. Albert kijkt op het velletje papier. Er staat inderdaad wat op. Het is een schets, een tekening. Hij draait het net zo lang rond in zijn handen tot hij de afbeelding goed kan bekijken.

Dan begint zijn hart te bonken.

Hij ziet een man en een vrouw, ze hebben beiden hun mond open en die open monden drukken ze op elkaar. Wie zou zoiets getekend hebben en waarom? Albert kijkt en voelt een siddering langs zijn ruggengraat trekken. Zulke dingen mag hij van zijn moeder vast niet bekijken. Maar hij kan er niks aan doen dat hij dit toevallig vindt. Albert houdt zijn hoofd een beetje schuin, net als de man en de vrouw op de schets. Dan kijkt hij om zich heen, of er iemand naar hem kijkt. Niemand. Er zijn niet zo heel veel mensen op straat en die paar mensen die hij ziet, buigen hun hoofd tegen de wind en de kou.

Hij opent zijn mond een beetje, net als de mensen op de tekening, en sluit zijn ogen. Hij ziet het beeld van een meisje uit zijn klas. Snel doet hij zijn ogen weer open, kijkt opnieuw om zich heen en propt de tekening in zijn zak.

Hij staat nog niet in hun bedompte kamer of hij hoort iets op de binnenplaats. Daar kan niemand zomaar komen, dus het moet Ongeboren Gerrit zijn. Die komt hem halen, kwaad doen, nu, nu meteen. Hij luistert naar het geluid, wil weglopen, maar staat vastgenageld aan de vloer en wacht.

'Wat is er met jou?' vraagt een bekende stem. 'Ga je flauwvallen, net als ik?'

Hij kijkt alsof er een geest is binnengekomen. Het is zijn moeder.

'W-w-wat… w-wat… doe jij al thuis? Anders ben je nooit zo vroeg?'

'W-w-wat is er met jou aan de hand?' vraagt ze, terwijl ze hem zo goed mogelijk nadoet, 'a-a-a-anders doe je nooit zo als je me ziet.'

Pas veel later dringt het tot hem door dat ze op haar werk is flauwgevallen en voorlopig thuisblijft. Volgens zijn moeder is het niet erg en juist wel gezellig.

Hoofdstuk zeven

Albert wordt er steeds vaker alleen op uitgestuurd door zijn moeder. Vroeger gingen ze als ze vrij was op zaterdag altijd gezellig samen naar de markt. Beetje rondkijken, hier en daar wat kopen en af en toe iets lekkers mee naar huis. Maar de laatste weken wil ze liever binnenblijven. Ze rilt en hoest, blijft ziekelijk. Dus haalt Albert de spullen die ze nodig hebben. Maar hoe langer ze ziek thuiszit, hoe minder geld hij meekrijgt.

Hij was die dag vroeg opgestaan en had in de ladekast naar geld gezocht. Er lag haast niks, maar wat er lag heeft hij meegenomen. Zijn moeder sliep nog vast toen hij vertrok. Hij heeft lekkere verse vis gekocht. Hij kon nog wat van de prijs afkrijgen en is er zeer tevreden mee.

Hij trekt zijn cape dichter om zich heen. Het is weer vreselijk koud. Binnen waarschijnlijk ook, want zijn moeder stookt zo min mogelijk. Ze trekt nog liever vier warme hemden over elkaar aan, dan dat ze turf verstookt als ze alleen is.

Een keer sinds ze thuis is heeft ze al voor hij thuiskwam de kachel opgestookt. Dat was heerlijk. De warmte omhelsde hem toen hij binnenkwam. Pas veel later voelde hij dat het net als anders niet echt heel warm was: door alle kieren in de ramen en deuren trok de warmte snel naar buiten en de kachel kon niet al te hoog opgestookt worden, omdat dat te veel turf vroeg. Maar de eerste tijd had Albert gedacht dat het binnen warmer was dan op de allerwarmste zomerdag.

Hij hoort zijn moeder neuriën, duwt de deur wijd open en voelt dat het binnen nog koud is. Maar natuurlijk wel warmer dan buiten. Zijn moeder neuriet zacht verder.

'Dag mam,' zegt Albert. Hij ziet dat er niet veel turf is. 'Zal ik wat halen?'

'Hoeft niet.'

Hij denkt aan de lege ladekast. Sinds ze niet meer kan werken 'hoeft' hij vaak geen turf te halen.

Hij gaat zitten en rekt zich uit.

Zijn moeder gaat achter hem staan en legt even haar hand op zijn schouder. 'Wat was je al vroeg op pad! Alles goed?'

'Ja, goed,' zegt Albert, 'heel goed. En met jou?'

'Ik ben naar de begrafenis van Isaac geweest,' zegt zijn moeder.

Natuurlijk, denkt Albert, dat wist hij. Isaac is vier weken na de lepraloterij doodgegaan. Zoals hij verwachtte.

'Hoe was het?' Albert kijkt zijn moeder aan en weer valt het hem op dat ze er slecht uitziet.

'Het was in de Oude Kerk. Hij had geen geld. Dus alles moest snel-snel. Geen klokgelui, geen dienst, niks. We stonden allemaal zo weer buiten. Die arme kinderen. Nu zijn ze wees.' De stem van zijn moeder hapert. 'Ze moeten hun huis uit, naar het weeshuis. De jongens en meisjes worden gescheiden van elkaar. Het breekt mijn hart als ik eraan denk. Maar Isaac zal wel blij zijn. Voor zichzelf.' Ze krijgt een hoestbui.

Albert staat op en helpt haar te gaan zitten, hij wrijft geruststellend over haar rug. Samen wachten ze tot het over is.

'Hij heeft het wel goed aan voelen komen,' zegt Albert, 'hij wist gewoon dat hij snel dood zou gaan.'

33

Zijn moeder knikt. 'Voor zulke dingen heb je geen dokter nodig.'

Ze hoest weer, iets korter maar heftiger.

'Laten we niet over droevige dingen praten,' zegt ze.

Albert knikt.

Het is even stil in de kamer. Dan begint zijn moeder weer zacht te neuriën.

'Vind je dat neuriën fijn?' vraagt Albert opeens.

'Het zet de deur open naar geluk,' zegt zijn moeder meteen en ze glimlacht.

De brandende turf begint wat warmte af te geven. Albert houdt zijn handen bij de kachel en wrijft ze tegen elkaar.

'Wat zou je allemaal kopen als je heel veel geld had?'

'Voor hier in huis?'

'Ja, voor hier.'

Ze doen dit vaker. Het is altijd leuk.

Ze kijkt de kamer rond. Haar ogen gaan langs de kale muren, de kieren onder de ramen, het vochtige plafond, de twee bedsteden waarvan de deurtjes scheef hangen, de tafel, de half kapotte stoelen om de tafel, het vale kleed erover. 'Een tafel, iets groter dan deze, die niet zo wankel staat. Een paar stoelen, met zacht rood fluweel en vering in de zittingen...'

'Die niet zo wankel staan,' vult Albert aan en hij wiebelt er vreselijk op. Hij zwaait zo ver mogelijk heen en weer op zijn stoel en trekt gekke gezichten. De poten kraken.

'Albert!' Zijn moeder zegt het streng, maar haar ogen lachen.

Hoofdstuk acht

Na een drukke dag op school – niet door het leerwerk, maar vanwege het lawaai – komt Albert thuis. Hij heeft honger. De laatste week had zijn moeder geen geld meer in de la, voor niks meer. Hij duwt de huisdeur open en stapt de kamer binnen. Meteen buigt hij zijn hoofd. Ze hebben bezoek. Belangrijk bezoek. Het is de baas van zijn moeder. De weledele heer Jan Aertszoon van der Heede, koopman.

Nadat zijn vader niet was teruggekomen van zee, besloot meneer Aertszoon van der Heede Alberts moeder te vragen om voor hem te werken. Er werd over gesproken in de stad, geroddeld, vertelde zijn moeder Albert later, maar zij was erg blij met deze kans: een goede manier om op een eerlijke manier aan geld te komen. Ze moest alle inkomsten en uitgaven noteren, zodat meneer Aertszoon van der Heede altijd precies wist wat hij kocht en verkocht. Alberts moeder werkte hard en precies, haar mooie handschrift werd door haar werkgever veel geprezen. Tot ze ziek werd. Haar hand werd minder vast door het hoesten en door haar hele zwakke gezondheid. Ze vergat dingen en toen viel ze flauw. Na die keer besloot meneer Aertszoon van der Heede dat ze thuis moest blijven tot ze weer beter was.

'Zo, grote jongen, hoe staat het leven?'

Albert schudt de uitgestoken hand en knikt. 'Goed,' zegt hij verlegen. Hij weet immers best dat hij juist erg klein is voor zijn leeftijd.

'Mooi zo, je gaat steeds meer op je vader lijken,' zegt meneer Aertszoon van der Heede.

Er valt een ongemakkelijke stilte.

Alberts moeder veegt wat turf bij elkaar en wil opstaan.

Meneer Aertszoon van der Heede legt zijn hand op haar arm en dwingt haar zo terug in haar stoel.

'Nee, nee, niet nodig,' zegt hij, 'ik heb het niet koud.' Hij kucht en kijkt om zich heen. Kucht weer en buigt zich over zijn tas. 'Ik heb wat meegenomen,' zegt hij. Hij legt de vis op tafel, het is haring, de kamer vult zich met de sterke geur. Meteen pakt Albert wat schotels om de vis op te leggen, hij verdeelt het in drie porties.

'Nee, voor mij niet, hoor,' zegt meneer Aertszoon van der Heede, 'ik heb net gegeten.' Hij buigt zich weer over de tas en wacht alsof hij wat er in zit niet op tafel durft te leggen.

Albert kijkt nieuwsgierig naar de voorovergebogen man. Zijn moeder geeft hem een waarschuwende blik en Albert leunt achterover, afwachtend.

Meneer Aertszoon van der Heede gaat rechtop zitten en legt nog iets op tafel. Alberts moeder wordt zo mogelijk nog witter.

'Het spijt me,' zegt hij.

Albert wil om uitleg vragen, maar hij weet dat hij moet wachten.

'Ik begrijp het wel,' zegt zijn moeder. Haar stem lijkt van heel ver weg te komen. 'U bent al meer dan vriendelijk geweest.'

Meneer Aertszoon van der Heede staat op. Hij legt een muntstuk op tafel en een pak papier. 'Ik moet gaan, het is druk op het werk, ik wens jullie het beste en dat meen ik.' Hij steekt opnieuw zijn hand uit naar Albert en drukt deze langer dan Albert prettig vindt, daarna neemt Aertszoon van der Heede de hand van Alberts moeder in zijn beide handen en houdt deze ook langer vast dan gebruikelijk.

Meteen daarna draait hij zich om en verlaat hun huis. De deur valt met een klap achter hem dicht.

'Wat was dat allemaal?' vraagt Albert.

'Mijn laatste loon,' zegt zijn moeder en ze pakt het geld op.

'En dit?' Hij pakt het andere voorwerp van tafel.

'Dat is een bedelpenning,' zegt zijn moeder. 'En dit pakpapier zijn oude kasboeken, van jaren terug, die kunnen we in de kachel verbranden. Ga eens snel wat turf halen, je mag de helft van het geld besteden, dan steken we de kachel weer eens lekker hoog op en eten er een haring bij en drinken wat bier.'

'Maar mam,' zegt Albert en kijkt nog steeds naar de bedelpenning.

Zijn moeder begint zacht een liedje te neuriën en zegt na een tijdje: 'Als je niet opschiet eet ik al die haringen alleen op, hoor!'

Albert slaat zijn cape weer om, pakt het geld van de tafel en rent weg.

Het is ijskoud buiten en glad ook op plekken waar je het niet verwacht. De kou bijt in zijn wangen. Opschieten, denkt hij en hij trekt zijn kraag hoger op, straks eet mama de haring echt alleen op.

Als hij weer thuiskomt, heeft zijn moeder de kachel al aangemaakt met het beetje turf dat er nog was en wat papier. Snel gooit Albert er wat meer turf bij en na een tijdje begint het behaaglijk te worden in de kamer.

De haring gaat nog meer ruiken, zo erg dat het water Albert in de mond loopt.

'Neem maar,' zegt zijn moeder.

Albert neemt een flinke hap. 'En nu?' vraagt hij met zijn mond vol.

'Nu gaan we lekker eten en drinken en nu hebben we het lekker warm,' zegt zijn moeder. 'Misschien wil de jonge prins voor zijn moeder, de oude koningin, nog een kroes inschenken?'

'Natuurlijk wil de jonge prins dat graag doen,' zegt Albert en hij staat op.

Zijn moeder gaapt. 'Je wordt zo moe van het regeren, al die burgers met hun zorgen, de hele dag maar luisteren en knikken. Maar wat voor een dag je ook hebt gehad, het wordt altijd weer avond. Neem zelf ook wat.'

Albert schenkt zichzelf ook een kroes in en glimlacht naar zijn moeder. Ze glimlacht stralend terug.

Ze ziet er echt uit als een oude koningin.

'Wil de oude koningin de jonge prins nogmaals vertellen hoe zij de koning heeft ontmoet?'

'Graag,' zegt ze. Ze nestelt zich in haar stoel, sluit even haar ogen, opent ze en begint. 'Het was een warme dag, nog vroeg in de morgen. Ik moest voor mijn moeder even snel een boodschap doen en rende de straat op. Mijn haren nog los. Bij de kade ging de brug net open. De man liet de slagboom neer, blies op de hoorn en draaide de brug langzaam open. Op de boot stond iedereen aan dek, klaar om door de brug te gaan.'

Alberts moeder sluit opnieuw haar ogen. Ze haalt snel en met moeite adem. Albert bekijkt haar ongerust. Ze hoest gedempt, opent weer haar ogen en gaat langzaam verder: 'Hij stond aan de andere kant van het water. Ook te wachten. Zijn vingers trommelden ongeduldig op de hekken. We keken elkaar aan. Keken naar de boten. Naar de brug. Naar de brugwachter en toen keken we elkaar weer aan. Zo ging het steeds opnieuw. Wel duizend keer.'

Albert glimlacht. Dat zegt ze altijd: 'Wij, de boten, de brug, de man van de brug, wij, duizend keer.' Albert weet het uit zijn hoofd. Eigenlijk is hij te oud voor dit verhaal. Maar het blijft mooi. En het is een passend moment om het er weer eens over te hebben, dat voelt Albert gewoon.

Zijn moeder rust uit. Albert wacht tot ze het verhaal afmaakt. Tot ze voldoende kracht heeft. Het duurt lang. De kachel zoemt. Albert beweegt een beetje en de stoel kraakt.

'Het was liefde op het eerste gezicht, dat bestaat. Ik was niet verbaasd toen hij later op de brug mijn naam vroeg en wilde weten waar ik woonde. Als hij mij niet staande had gehouden, dan had ik hem aangesproken!'

Ze lacht en het lachen gaat meteen over in een hoestbui. Een lange, lange hoestbui.

Als die over is, herhaalt Albert: 'Als hij mij niet staande had gehouden, had ik hem aangesproken. Stel je voor!' Ze lachen samen. Voorzichtig.

Als hij laat die avond tevreden en warm en met een volle maag in zijn bedstee ligt, denkt hij nog steeds aan het verhaal.

Hij hoort aan de diepe ademhaling van zijn moeder dat ze slaapt. Albert glimlacht en zo valt hij langzaam in slaap.

Albert praat heel hard, want steeds hoest er iemand doorheen. Hij gaat steeds harder praten, steeds harder, schreeuwt bijna, tot hij opeens echt wakker is en hoort dat het zijn moeder is die hoest en dat hij droomde dat hij schreeuwde.

Hij luistert naar de hevige hoestbui van zijn moeder. Het duurt maar voort en tussen het hoesten door haalt ze soms gierend adem. Albert wacht. Het is niet de eerste keer dat ze een hoestbui heeft, ook niet zo'n erge, hoewel het deze keer wel erg lang duurt...

Dan hoort hij gestommel in het donker. Zijn moeder probeert uit haar bedstee te komen.

Albert stapt uit zijn bedstee en gaat op de tast op zoek naar een kaars.

Al snel brandt het lichtje. Zijn moeder lijkt wel een spook in haar lange witte slaaphemd, met haar haren los onder haar slaap-muts en met haar witte gezicht. Ze houdt een doek voor haar mond en hoest nog steeds.

Albert knijpt zijn ogen samen. Die donkere vlek, wat is dat? Hij loopt naar zijn moeder en trekt de doek iets weg van haar mond.

Bloed.

Er komt bloed uit haar mond – en niet weinig.

'Mam, je bloedt, er is iets helemaal niet goed!' Albert zoekt zijn kleding bij elkaar en begint zich aan te kleden. Zijn vingers trillen.

Ondertussen hoest zijn moeder maar door. Ze pakt zijn arm vast en schudt haar hoofd. Albert gaat door met zich aankleden. Nu duwt ze hem terug de kamer in, met meer kracht dan Albert had verwacht. 'Nee,' zegt ze en ze hoest verder.

'Mam, ik moet voor je naar de chirurgijn, nu meteen.'

'Nee,' zegt ze weer, nog dwingender.

De doek wordt almaar roder. Ze gaat aan de wankele tafel zit-ten en probeert het hoesten onder controle te krijgen. Ze neemt een slok bier. Slikt langzaam. Nog een keer. Het hoesten wordt ietsje minder. 'Morgen,' zegt ze, 'ga morgen.'

Hoofdstuk negen

Albert wordt wakker en stapt meteen uit bed. Hij gaat vandaag niet naar school. In ieder geval niet meteen, want hij moet eerst naar de chirurgijn. Zijn moeder is volgens hem al een paar uur wat stiller, het hoesten wordt minder. Hij loopt naar haar bedstee en kijkt erin. Ze ligt met open mond in haar kussens weggezakt te slapen. Het ademhalen gaat moeizaam. Haar wangen zien er warm uit, koortsig.

Albert pakt de rest van het muntgeld van tafel en vertrekt zo snel hij kan.

Het huis van de chirurgijn ligt ver weg in een heel andere, deftige buurt. Albert komt langs een werkplaats. De geur van vers hout dringt zijn neus binnen. Het ruikt lekker. Even staat hij stil en snuift de lucht op. Achter in de werkplaats staat een dikke man. Hij staat voorovergebogen aan een soort werktafel en bekijkt zijn werk van alle kanten. Hij aait liefdevol over het hout. Albert kijkt naar hem.

Opschieten, denkt hij dan, hoe kan ik zo dom zijn om precies nu te treuzelen, precies nu mijn moeder mij zo nodig heeft?

Het is een groot, statig huis, met een trap en een bordes ervoor waar de mensen op staan te wachten tot ze door de dienstmeid

41

binnen worden gelaten. Albert sluit aan in de rij. Omdat het nog vroeg is, zijn er maar vijf mensen voor hem. Hij blaast in zijn handen. Hopelijk werkt de chirurgijn snel.

Na een tijdje is hij aan de beurt.

Binnen is het lekker warm.

De chirurgijn kijkt hem vragend aan. 'Je ziet er niet ziek uit,' zegt hij.

'Ik kom voor mijn moeder,' zegt Albert snel, 'ze hoest heel erg, met bloed, soms valt ze flauw, ze heeft koorts, u moet komen.'

'Zo, zo,' zegt de chirurgijn, 'dat klinkt niet best. Maar... heb je geld, jongen?'

Albert schuift het geld over de tafel naar de chirurgijn toe. Die bekijkt het en schudt zijn hoofd. 'Dat is veel te weinig,' zegt hij. 'Dat is niet eens genoeg voor dit gesprek. Als je nu weggaat mag je het geld meenemen, maar laat je hier niet meer zien!'

Geschrokken staat Albert op, pakt het geld, draait zich om en rent naar buiten.

Dan moet hij maar naar de barbier; het zal vast genoeg geld zijn voor de barbier. Hij rent de hele weg terug naar de zaak van de barbier. Het zit er vol klanten. De barbier is bezig met het scheren van een van hen, een oudere heer. Albert gaat naast de barbier staan en begint te praten.

'Sorry dat ik u stoor, maar mijn moeder is ziek, u moet echt meteen komen.'

De barbier laat zijn scheerkwast een klein beetje zakken. 'Zie ik eruit alsof ik zo weg kan lopen?'

Albert kijkt om zich heen. De heren die wachten kijken hem aan.

'Nee,' zegt Albert verslagen.

'Wat is er zo dringend?' De barbier haalt met zijn scherpe mes vlot en precies de stoppels van de oudere man weg.

'Mijn moeder,' zegt Albert en hij vertelt wat haar klachten zijn. 'Dat klinkt inderdaad ernstig,' zegt de barbier. 'Dat gaat je best wat geld kosten, misschien moet ik wel aderlaten.'

Albert laat het geld in zijn hand zien. De barbier stopt even met scheren, kijkt naar de hand van Albert en schudt zijn hoofd. 'Geen sprake van,' zegt hij en hij gaat verder met zijn werk.

Albert blijft nog even naast hem staan, alsof hij hoopt dat de barbier zich bedenkt. Maar die lijkt niet eens te merken dat Albert er nog is.

Langzaam verlaat de jongen de werkplaats.

Als vanzelf loopt hij naar het plein vlak bij hun huis. Daar staan soms wonderdokters die van stad naar stad reizen. Er moet iemand naar zijn moeder komen kijken, ze móét geholpen worden.

Het wordt steeds drukker op straat. Misschien is zijn moeder al wakker.

Albert heeft geluk, want er staat inderdaad een wonderdokter. Hij is nog bezig om zijn spullen uit te stallen.

'Meneer,' zegt Albert, 'u moet mijn moeder helpen.'

'Zo, zo, is mijn beroemde naam mij voorgegaan naar deze grote stad? U bent op deze vroege morgen speciaal naar mij, de grote medicus Medi, gekomen?' De man draait zich naar hem om en Albert ziet een enorme neus.

Albert opent zijn hand. De muntstukken glimmen. 'Komt u mee, naar mijn moeder kijken? We wonen hier vlakbij.'

De wonderdokter aarzelt heel even, wrijft over zijn grote neus en grist het geld van Alberts hand. 'Goed,' zegt hij, 'ik wil niks liever dan uw moeder beter laten worden en dit is ruim genoeg voor een stevig ontbijt, straks, voor de grote Medi.'

Snel pakt hij zijn spullen weer in en loopt met Albert mee.

Zachtjes duwt Albert hun huisdeur open en stapt de kamer binnen, de wonderdokter direct achter zich aan. Zijn moeder ligt nog steeds in haar bedstee en lijkt nog net zo diep in slaap als vanmorgen vroeg.

De wonderdokter bekijkt haar aandachtig en schudt zijn hoofd. 'Niet best,' zegt hij.

'Mevrouw!' roept de grote Medi. 'Mevrouw, ik kom u even onderzoeken!'

Alberts moeder doet haar ene oog open en daarna haar andere. Dan begint ze te hoesten en al snel komt er weer bloed uit haar mond. De grote Medi luistert met iets op haar rug, bekijkt het bloed, controleert haar ogen en voelt haar pols.

Dan haalt hij een zalfje uit zijn tas. 'Smeer dit drie keer daags op uw moeders rug en het zal beter gaan,' zegt hij.

Albert pakt de zalf blij aan. 'Dank u.'

De grote Medi loopt naar de deur: daar pakt hij Albert vast, trekt hem wat dichter naar zich toe en fluistert: 'Dit zalfje werkt goed, maar u had veel eerder moeten komen.'

Dan laat hij Albert los en vertrekt.

Wat bedoelde de grote Medi precies? Albert haalt zijn schouders op. Hij maakt het zalfje open, ruikt eraan en hoest meteen, want het ruikt heel sterk. Hij loopt naar zijn moeder om het op haar rug aan te brengen.

Ze voelt warm en lijkt er niet helemaal bij te zijn met haar gedachten. Ze zegt niks, vraagt niks en heeft een vage glimlach rond haar mond.

Albert smeert met grote zorg een dunne laag over haar hele rug en laat haar dan weer langzaam in de kussens zakken. Meteen sluit ze haar ogen weer en valt in slaap.

De kamer vult zich met de doordringende lucht van de zalf.

Albert heeft geen zin om naar school te gaan. Het lijkt hem beter om bij zijn moeder te blijven.

Met een klein beetje turf en wat papier maakt hij de kachel aan, schuift zijn stoel zo dat hij het gezicht van zijn moeder kan zien en wacht. Wacht op wat komen gaat.

Hij moet in slaap zijn gevallen, want als hij wakker schiet is het ijskoud in de kamer. Het vuur is helemaal uit. Zijn moeder heeft weer een hevige hoestbui. Albert ondersteunt haar, want ze wil rechtop zitten. Als het hoesten minder wordt, leunt ze vermoeid tegen de kussens en kijkt naar Albert. Haar ogen vullen zich met tranen. Albert veegt ze snel weg en haalt de zalf tevoorschijn. 'Ik ga je hier weer lekker mee insmeren,' zegt hij opgewekt, 'dat hielp net ook.'

Voorzichtig smeert hij een dunne laag op haar rug en laat haar langzaam weer wat terugzakken.

'Zie je, dat gaat al veel beter,' zegt hij. 'Wil je iets drinken?'

Zijn moeder schudt haar hoofd en sluit haar ogen.

Albert trekt zijn stoel naast haar bedstee en kijkt naar haar. Ze ziet er wit uit, breekbaar. Haar ademhaling gaat onregelmatig en moeizaam. Albert pakt haar ene hand vast. Die gloeit, hoewel het zo koud is in de kamer.

Albert kijkt naar de kleine moedervlek naast haar mond. Hij kijkt naar haar gesloten oogleden en weet opeens niet meer of haar ogen nou grijs of groen zijn. Terwijl hij zich dit afvraagt, opent ze haar ogen. Hij kijkt recht in haar grijze irissen en schrikt van haar blik. Intens. Dat woord schiet zomaar door zijn hoofd.

'Albert, mijn lieverd,' zegt ze en ze likt met haar tong langs haar droge lippen. 'Ik laat je niks na, geen geld, geen bezittingen, en dat spijt mij. De wereld zal mij herinneren door jou, ik laat jou na. Dat is mooi.' Ze wil nog meer zeggen, maar is te zwak.

'Het is goed, mam,' zegt Albert.

Maar zijn moeder schudt fel haar hoofd, haalt diep adem en zegt: 'Het is niet goed genoeg. Ik had veel meer willen nalaten.' Haar ademhaling raspt en piept.

Ze wil opeens rechtop zitten, los van de kussens. Verheugd kijkt Albert haar aan. Ze knapt op; het zalfje werkt! Het is een echte wonderdokter, die grote Medi!

'Je moet mij iets beloven, jongen,' zegt ze, 'ik weet dat je graag belangrijk wilt zijn, wilt worden. Beloof me dat jij jezelf onvergetelijk maakt. Zeg "ik maak me onvergetelijk, dat beloof ik." '

Albert zegt snel na wat ze voorzegt. Ze wordt beter! Dan kijkt ze hem aan en er komt een kleine vermoeide glimlach op haar lippen. Albert glimlacht voorzichtig terug.

Opeens valt ze achterover in de kussens.

Albert hoeft niet naar haar te kijken om te weten wat er aan de hand is. Het is opeens doodstil in de kamer.

Hoofdstuk tien

'Je hebt vreselijk veel geluk gehad,' zegt de meneer die zich eerder voorstelde als Van Aelst van Herenwegen, werkzaam bij de bedeling Amsterdam en daardoor betrokken bij de armenzorg.

Van Aelst van Herenwegen is een kolossale kerel, met enorme benen, die in een stevig tempo doorloopt.

'Meneer Van Ruytenburch is beschermheer van onze vereniging en hij wilde u persoonlijk in huis nemen, zo hoffelijk, zo echt een heer, het is maar weinig wezen gegeven om in zo'n goed huis terecht te komen. Je moet maar bovenmenselijk je best gaan doen.'

Albert knikt en rent met meneer Van Aelst van Herenwegen mee. Ze zijn op weg naar zijn nieuwe huis, of liever gezegd naar zijn werkgever, die hem ook een slaapplek zal geven. Zijn kleine benen rennen zo hard ze kunnen om de lange man bij te houden.

Albert wil niet denken aan de afgelopen dagen, maar hij kan zijn gedachten niet tegenhouden. Hij ziet de kist met zijn moeder, zo wit en stil, de snelle begrafenis, die iets minder snel ging dan die van buurman Isaac, omdat meneer Aertszoon van der Heede erop had gestaan wat te betalen. Helaas kon hij Albert verder niets bieden. Dat speet hem bijzonder, zei hij.

Albert had zich gehaast om hem uitvoerig te bedanken, dat had zijn moeder zo gewild – meneer Aertszoon van der Heede had al zo veel voor hen gedaan. Eerst voor zijn vader en toen voor zijn

47

moeder en nu dit geld nog voor haar laatste eer. Maar Albert kon een vaag gevoel van teleurstelling niet onderdrukken, hij wist dat de zaken van de koopman goed liepen. Waarom kon hij Albert geen werk of onderkomen bieden? Hij zou er niks van merken, sterker nog, er alleen maar plezier van hebben.

Al snel was er iemand van de bedeling bij hem aan de deur geko- men. Albert kon niet in zijn huis blijven wonen. Daar had hij geen geld voor. Hij moest, nu hij wees was, gaan werken. School was dus ook meteen afgelopen. Hij kreeg eventjes de tijd om wat spul- len in een oude mand te gooien en moest toen meekomen met een ongeduldige man met een kort rood sikje.

Verdoofd door alle indrukken en emoties deed Albert wat er van hem werd gevraagd. Op het laatste moment gooide hij nog het brokje nootmuskaat en de rasp van zijn vader en de drinkkom van zijn moeder in de mand.

Roodsik had hem eten gegeven en een bedstee aangewezen en na twee dagen was de heer Van Aelst van Herenwegen, de enorme man, gekomen om hem te vertellen dat er heel goed nieuws was.

Albert dacht even dat zijn moeder weer leefde, dat iedereen het fout had gezien dat ze niet meer ademde. Maar het bleek te gaan om een nieuw onderkomen bij een belangrijke man, luitenant Van Ruytenburch, advocaat van beroep.

Hij gaat de man nu bijna ontmoeten. Het hart van Albert springt zowat zijn borstkas uit. Dat komt door het rennen met zijn zware mand en door de spanning. Hoe zal zijn nieuwe leven eruit gaan zien? Is die Van Ruytenburch echt zo aardig en zo'n heer? Het moet haast wel. Een advocaat moet wel een evenwichtig en wijs man zijn, net zo iemand als hijzelf wil worden.

Opeens staat Van Aelst van Herenwegen stil. 'Het Blauwe Huys, jouw nieuwe thuis,' zegt hij met een deftige stem. 'We gaan achterom. Dat is de ingang voor het personeel.'

Op de binnenplaats roept meneer Van Aelst van Herenwegen: 'Volk!'

Er gaat een deur open.

'Is dat die wees?' vraagt een oudere dame, waarschijnlijk de dienstmeid.

'Jazeker!'

De dame wenkt hen. Haar blik is nors... alsof ze heel veel pruimen heeft gegeten en haar darmen protesteren.

'Hij mag zijn spullen neerleggen bij zijn bedstee!' Ze wijst de plek aan.

'Is luitenant Van Ruytenburch er?' vraagt Van Aelst van Herenwegen, weer met zo'n deftige stem.

'Ja meneer, maar hij is bezig,' zegt de dienstmeid met een stem die wat deftigheid betreft niet onderdoet voor de zijne. 'Ik mag u bedanken en weer uitlaten.'

Ze houdt de deur open.

Verward staat meneer Van Aelst van Herenwegen in de deuropening. Dan haalt hij zijn schouders op.

'Breng hem mijn hartelijke groeten over en zeg dat hij vast geen spijt krijgt van deze jonge knaap.' Hij doet een stap naar voren en wil in Alberts wang knijpen. Maar die ziet het aankomen en bukt net om iets aan zijn schoen recht te trekken.

Van Aelst van Herenwegen haalt opnieuw zijn schouders op, draait zich om en beent weg.

De dienstmeid loopt naar het vuur en gaat verder met haar werk, zonder Albert nog een blik waardig te keuren.

Albert brengt zijn spullen naar de ruimte die de dienstmeid eerder aanwees. Het is een piepklein vertrek met een bedstee en dan is er nog net ruimte voor zijn mand.

Albert gaat in zijn bedstee zitten en zucht. Hij mist zijn moeder. Haar stem, haar neuriën.

'Komen!' hoort hij een zware boze stem ergens in het huis roepen.

Albert leunt tegen de kussens. Hij is moe. Hij heeft de laatste tijd erg slecht geslapen. Niet zo gek natuurlijk, na wat er is gebeurd.

Opeens vliegt de deur van zijn kamer open en kijkt hij in de boze ogen van een vreemde man.

'Dit is een heel slecht begin!' roept de man.

Hij pakt Albert bij zijn oor en trekt hem uit de bedstee de gang in. Daar laat hij zijn oor pas los en hij loopt voor hem uit een kamer in. Het is er heel groot en deftig, ziet Albert ondanks alles. Ze staan in een ruim leefvertrek.

'Ik riep toch "komen!",' zegt de man, 'maar jij blijft maar gewoon zitten! Weet je niet wat "komen" betekent?'

Albert kijkt in de felle ogen van de man die hij ervan verdenkt luitenant Van Ruytenburch te zijn, zijn meester.

'Kijk me niet zo brutaal aan!'

Albert kijkt naar de grond.

'Geef antwoord op mijn vraag! Weet je niet wat "komen" betekent?'

'Jawel, heer, ik begreep alleen…'

'Genoeg!'

'Lieverd,' klinkt een vrouwenstem, 'wind je niet zo op, doe een beetje rustig.'

Een vriendelijk uitziende vrouw loopt naar Albert toe en geeft hem een hand.

'Mevrouw Van Ruytenburch, echtgenote van luitenant Van Ruytenburch, heer van Vlaardingen en Vlaardingerambacht.'

Ze wijst op een oudere dame achter zich, die druk bezig is met inpakken.

'Dat is mijn schoonmoeder.'

Mevrouw Van Ruytenburch bekijkt Albert nieuwsgierig en Albert kijkt ondertussen naar de grond.

'Je moet een beetje aardig tegen hem zijn, lieverd, hij is net wees geworden. Begrip is het sleutelwoord, hij zal snel genoeg gewend zijn en alles doen wat nodig is. Nietwaar?' Ze kijkt Albert aan.

Hij knikt.

'Nietwaar?' herhaalt ze, iets dringender.

'Ja, mevrouw, natuurlijk,' zegt Albert.

'Ik vind het maar een onbeschaamde vlegel!' zegt luitenant Van Ruytenburch nors. Hij snuit luidruchtig zijn neus. 'Zul je zien dat we de domste van allemaal in huis genomen hebben, een niksnut, een sufferd.'

'Als je nu naar de keuken gaat, zal onze dienstmeid je de regels wel uitleggen,' zegt mevrouw Van Ruytenburch. 'Morgenvroeg vertrekken mijn schoonmoeder en ik met onze dienstmeid voor enige tijd, misschien wel zes weken, naar ons buitenhuis in Vlaardingen. We verwachten dat je morgenochtend wat assistentie zult verlenen. Daarna heeft mijn man alle tijd om je in te werken. Zeker als het hem lukt van de brandewijn af te blijven.' Ze kijkt spottend naar haar man en die kijkt meteen een andere kant op. 'Maar daar heb ik alle vertrouwen in. Ik weet zeker dat je, als we terug zijn, al je taken perfect beheerst. Mijn man blijft hier omdat hij ieder moment door meester Rembrandt uitgenodigd kan worden voor het schilderen van een voorstudie voor zijn portret.'

51

'Natuurlijk, mevrouw,' zegt Albert snel. Hij begrijpt niet veel van wat ze zegt, maar het lijkt hem maar het beste om in elk geval te reageren.

'Je hoeft hem niks uit te leggen,' zegt luitenant Van Ruytenburch, 'het is een snotneus, een bediende.'

Hoofdstuk elf

Albert rent achter meneer Van Ruytenburch aan. Hij werkt nu achtentwintig dagen voor hem. Achtentwintig dagen rennen, achtentwintig dagen op zijn tenen lopen. Dagen van tranen in stilte, dagen van eenzaamheid. Met het brokje nootmuskaat, de rasp en de kom als zijn enige vrienden. De tijd is langs hem heen gegleden, omdat hij wachtte tot iemand tegen hem zou zeggen dat hij weer naar huis kon. Maar dat gebeurde niet.

Hij merkte dat zijn meester ook op iets wachtte. Ongeduldig liep hij rond. Keek vaak op het grote staande uurwerk, bleef dicht bij huis. Waar wachtte hij op? Albert wist het niet.

Nu rent hij achter zijn meester aan, die woedend op weg is naar... wat? Naar wie?

'Ik ga hem eens goed de waarheid zeggen!'

Albert heeft zijn armen vol zware, kostbare kledingstukken. Hij kan niet harder dan hij nu gaat. Maar hij moet sneller, sneller. Zijn meester mag er niet eerder zijn dan hij. Hij moet zijn meester aankondigen. Hij spant zich tot het uiterste in om met zijn korte benen vaart te maken. Zijn mond staat wijd open. Hij loopt wat in, maar niet genoeg.

Midden op straat blijft zijn meester opeens staan en Albert botst in volle vaart tegen hem op. 'Uilskuiken!' briest Van Ruytenburch. 'Een knecht hoort een zegen te zijn en geen last!' Hij maakt een handgebaar naar een huis. Albert houdt de kostbare kleding omhoog en probeert onder de stapel door kijkend de klopper te vinden. Hij durft de kleding niet te laten zakken, bang dat die vies zal worden. Maar het gewicht leunt zwaar op hem. Met een uiterste krachtsinspanning houdt hij de kleding nog iets hoger, ziet de klopper en laat die op de deur vallen.

De deur zwaait bijna meteen open en een vrolijke dienstmeid laat de heer Van Ruytenburch in de ontvangstruimte. 'Ik weet niet zeker of meester Rembrandt u kan ontvangen,' zegt ze.

Ze kijkt Albert even aan. 'Dat moet zwaar zijn,' zegt ze, 'loop maar even mee naar het atelier. Dan kun je het neerleggen.'

Albert wacht. Hij drukt zich tegen de koude muur aan en probeert zich onzichtbaar te maken. Hij kijkt afwisselend naar het dienstmeisje aan de andere kant van het atelier en naar meester Rembrandt zelf, de kunstenaar, de schilder die met grote woeste stappen van de ene naar de andere kant van het vertrek beent, niks zegt, soms even stilstaat en met grote krassende gebaren wat opschrijft, dan weer doorloopt en Albert daar gewoon laat staan.

In afwachten is hij de laatste tijd goed geworden.

Meester Rembrandt blijft maar heen en weer lopen. De stappen worden na een tijdje minder woest, maar ze zijn niet minder doelbewust.

'Mijn liefste Saskia is vandaag weer in de bedstee blijven liggen,' zegt meester Rembrandt opeens en hij kijkt de dienstmeid aan, 'ze heeft rust nodig. Net als ik. Het is een groot werk, een grote opdracht die ik heb aangenomen. Ik weet niet of ik het tot een goed einde zal brengen. Het is nieuw voor mij, maar ik kan het geld goed gebruiken. Wíj kunnen het geld goed gebruiken en

natuurlijk wil ik niet dat alleen mijn leerlingen hun doeken op-
hangen op zo'n belangrijke plek in de stad als de Doelenzaal en bij
zo'n belangrijke opdrachtgever als de schutterij van de Kloveniers.
Ook ík hoor daar thuis met mijn werk. Maar anders dan zij die het
vak van mij hebben geleerd, wil ik een doek maken waar de le-
vendigheid vanaf springt. Want de mensen die ik moet schilderen
kenmerken zich toch juist doordat ze meestal actief zijn? Bezig
zijn? Ik kan ze mij niet voorstellen met gesteven kragen, netjes op
een rij, gezicht na gezicht, zoals de meesten zullen verwachten.
Dus moet ik nadenken.'

Hij loopt naar de dienstmeid toe en kijkt haar van dichtbij aan.

Albert kijkt naar hen en voelt een steek door zijn hart gaan. Hij
weet niet waarom. De dienstmeid is een prettige verschijning om
naar te kijken; om niet te zeggen een heel prettige verschijning.
Haar goudblonde haar, haar donkere ogen, haar geringe lengte,
haar opgewekte blik... Vanaf het moment dat zij de deur open-
deed, voelt hij zich anders, onrustig. Hij kan zijn ogen niet van
haar afhouden. Dus naar haar kijken is precies wat hij doet.

'Maar in plaats van dat ik kan nadenken, klop jij op de deur, Cornelia.' Zo heet de dienstmeid dus blijkbaar.

Meester Rembrandt zet een stap naar achteren. 'Ik nam je alleen aan vanwege je naam, weet je dat wel? Driemaal probeerden
mijn liefste Saskia en ik onze eigen Cornelia te krijgen en te be-
houden, maar tevergeefs. Dus toen je aan de deur kwam voor een
betrekking, net toen ik de deur wilde sluiten, was er iets dat mij
dwong je te vragen hoe je heette en toen je je naam zei opende ik
de deur, wijd, en liet je binnen, nam je aan. Nu hebben we toch
een Cornelia in ons leven.

En nu klop je weer op de deur. Want daar staat hij opnieuw:
luitenant Wilhem van Ruytenburch. Een belangrijk man, vindt hij

zelf. Een edel mens, denkt hij. Hij moet ontvangen worden, vindt hij, onmiddellijk. En aangehoord. Natuurlijk, hij is mijn opdrachtgever, samen met kapitein Banninck Cocq. Wie meer betaalt mag vooraan, daar kan ik mee leven. Maar verder?'

Albert kijkt onafgebroken naar Cornelia, merkt hij ineens. En zij blijkbaar ook, want ze kijkt hem vragend aan. Hij voelt dat hij een kleur krijgt en draait zijn gezicht naar meester Rembrandt. Meester Rembrandt loopt naar zijn schildersezel, kijkt vanuit verschillende hoeken en zet hier en daar een snelle streek.

'Het schilderij moet worden als het leven zelf. Kleurrijk, vol verrassingen, actief, vol drama. Niet netjes afgewerkt. Het moet het leven weerspiegelen in al zijn rauwheid, al zijn vuilheid, al zijn volheid, al zijn ongemak, in al zijn fouten. Zo zie ik het voor me, sinds ik de opdracht aannam.

En nu staat hij daar, die ene die vooraan mag omdat hij heeft betaald, omdat hij wil weten of het al opschiet, of het al af is, en vooral of het even briljant is als hij verwacht.

Hij staat daar te wachten tot ik zeg: "Komt u binnen, kom verder, wees welkom. Laat u mij uw edele blik nog eens zien. Wat is uw kleding voornaam en geschikt."

Maar het gaat niet om een blik, om geld, om kleding.

Het gaat erom hoe alles samenvalt, over hoe wat niet bij elkaar hoort bij elkaar gaat horen.'

Albert begrijpt meester Rembrandt niet. Zulke dingen heeft hij nog nooit gehoord, zelfs zijn meester sprak nooit zo, zelfs buurman Isaac niet.

Cornelia kijkt alsof ze het al heel vaak gehoord heeft. En daarom heeft ze waarschijnlijk tijd om naar hem, Albert te kijken, want hij voelt haar blik op zich branden. Of kijkt ze naar iets wat vlak naast hem te zien is?

Meester Rembrandt verzet met veel kabaal een kruk.

'Omdat het niet langer alleen wil staan, omdat het vanzelfsprekend wil zijn, omdat het levend is. Maar niemand snapt dat. Ze denken: die Rembrandt, die kunstenaar, die is gek, gevaarlijk misschien zelfs, die is in ieder geval niet zoals wij. Kunnen we hem wel vertrouwen? Zal hij niet met ons geld in zijn zak de benen nemen? Neemt hij zijn op zich genomen taken wel serieus? Wie let er op hem en op het eindresultaat? Dat denken ze. Omdat de mensen klein zijn in hun gedachten, willen ze groot op het doek. En ik, ik sta hier en hoop dat de tijd langzamer voorbijgaat zodat ik kan denken, kan dromen, kan voorzien wat ik ga maken tot ik klaar ben, tot het zover is. Maar nu klopt die luitenant aan. Die Van Ruytenburch met zijn jonge knecht.

Of ik open wil doen. Duidelijkheid wil geven. Nu. Onmiddellijk.

Ik kan hem niet binnenlaten, die Van Ruytenburch. Ik ben bezig.

Ook al heb ik geen kwast vast, ook al sta ik niet voor een doek, ook al schets ik niet, ik ben bezig. Heel hard bezig. Sommigen denken dat ik niks loop te doen. Dat ik hier hun tijd loop te verdoen. Wat weten zij van schilderen? Van scheppen?'

Meester Rembrandt loopt weer naar Cornelia en kijkt haar aan, ze kijkt bang terug. En daarna kijkt ze meteen naar Albert. Albert kan niet anders dan in haar ogen verdrinken.

'Hooghouden,' zegt meester Rembrandt.

Albert voelt hoe de warme handen van meester Rembrandt zijn armen omhoogduwen.

Hij schrikt.

Natuurlijk! Hij moet de kleren van zijn meester omhooghouden. Meester Rembrandt pakt het uiteinde van een fluwelen mantel en klopt het stof eraf.

'Dat zal je meester niet leuk vinden!' zegt Rembrandt.

'Nee,' zegt Albert meteen, 'het spijt mij zo, ik had beter op moeten letten, het zal niet meer gebeuren, wat vreselijk dom van mij.'

Glimlachend legt meester Rembrandt zijn rechterwijsvinger over zijn mond. 'Ssst,' zegt hij, 'bewaar dat maar voor hem.'

Dat zal straks zeker nodig zijn, weet Albert. Hij zal moeten buigen, knikken en al die vervelende dingen moeten horen die zijn meester tegen hem zal zeggen. En vandaag zullen die nog vervelender zijn dan anders, want zijn meester is nu kwaad.

Albert heeft wel eens gehoord dat meester Rembrandt onberekenbaar is, maar wel gul en goed voor de mensen om hem heen. Meester Rembrandt kan schreeuwen als een duivel, maar ook zo zacht zijn als een pasgeboren hondje. Misschien lijkt hij wat op Alberts schoolmeester. Albert zou nu best in de klas willen zitten. Meteen. Zelfs als Jacob op het stilletje moest. Vandaag is meester Rembrandt niet van plan bezoek te ontvangen, precies op de dag dat zijn meester het thuis niet meer uithield, het wachten moe was.

Het dienstmeisje kucht.

'Zeg het eens, Cornelia,' zegt meester Rembrandt.

'Kan ik luitenant Van Ruytenburch dan nu bij u binnenlaten? Hij wacht al... een tijdje.' De stem van Cornelia klinkt als een zingende vogel, een nachtegaal. Albert laat zijn oren erdoor strelen.

'Die luitenant kan naar de duivel lopen!' zegt Rembrandt boos.

Albert kucht nu.

Meester Rembrandt kijkt hem aan.

'Zij kan er ook niks aan doen,' zegt hij.

Meester Rembrandt zuigt zijn adem scherp naar binnen.

Albert buigt diep zijn hoofd. Wat heeft hij er nu uitgekraamd?

Hij is ver, ver buiten zijn boekje gegaan, en hij weet het. Als dit zijn meester was, dan kon hij een flinke uitbrander verwachten, en terecht. Zijn moeder had al zo vaak tegen hem gezegd dat hij zich niet met dingen moest bemoeien die hem niet aangingen. Ze zei het altijd lief, vaak als de oude koningin. 'Mijn volk wil steeds maar dat ik mij bemoei met dingen die mij niet aangaan. Wat denkt u, jonge prins, is dat verstandig?'

Albert buigt zijn hoofd nog dieper, het rust op zijn borst.

'Hoor je dat, Cornelia?' zegt meester Rembrandt. 'Deze jongen neemt het voor je op!' Hij glimlacht. 'Breng hem maar binnen, die ongeduldige!'

Cornelia lacht, Albert kijkt op en ziet nog net dat door haar lach haar hele gezicht verandert. Het glanst, het straalt, het glimt als een pasgeboende spiegel. Hij blijft naar de deur staren. Opeens ziet hij de tekening die hij op straat vond weer helder voor zich, de gedraaide gezichten, de open monden. Hij bloost.

Meester Rembrandt gaat voor hem staan en kijkt hem dromerig aan.

'Wat is er, heer?' vraagt Albert.

'Ik zie iets,' zegt meester Rembrandt. Hij pakt Alberts gezicht vast en draait het naar het licht.

'Wat is het, heer?' Albert hoopt niet dat hij uitslag heeft, of een besmettelijke ziekte; hij hoopt ook dat meester Rembrandt zijn kleur niet ziet.

Meester Rembrandt kijkt naar Alberts mond, naar zijn hals, naar zijn kleding en dan opnieuw naar zijn ogen. Albert schrikt van de kracht van die blik, die zomaar door hem heen lijkt te boren, alsof dat geen enkele moeite kost. Albert voelt dat hij nog meer moet blozen. Meester Rembrandt zal de schets toch niet kunnen zien? De kussende monden?

Want als hij aan Cornelia denkt, dan denkt hij als vanzelf aan de schets die hij vond.

Op de trap naderen de voetstappen van een rennende Cornelia en die van de geïrriteerde luitenant Van Ruytenburch.

Rembrandt glimlacht naar Albert, laat zijn gezicht los en duwt zijn rechterhand omhoog.

Natuurlijk, Albert moet de kleding hoog houden!

Cornelia zegt buiten adem: 'Ik kondig aan: luitenant Van Ruytenburch tot uw dienst!'

Albert houdt de kleding zo hoog hij kan en wacht.

'Welkom,' zegt meester Rembrandt, 'wat brengt u hier?'

'U heeft mij ongehoord lang laten wachten,' bromt luitenant Van Ruytenburch.

'Ik was bezig.'

'Het gaat niet alleen om vandaag, het gaat ook om de afgelopen weken!'

Meester Rembrandt loopt naar het raam aan de noordkant van zijn huis, waar het licht het beste is van de hele woning. Hij staart naar een boom.

Luitenant Van Ruytenburch kucht.

Meester Rembrandt draait zich om. 'U wenst?'

'Komen!' zegt luitenant Van Ruytenburch en Albert komt meteen in beweging.

Hij gaat twee passen achter zijn meester staan en houdt de zware stapel met kleding zo hoog hij maar kan. Vandaag heeft zijn meester geen goede dag. Hij was vanmorgen al kortaangebonden, en nu hij lang heeft moeten wachten is het erger geworden.

'U begrijpt vast dat wij nieuwsgierig zijn naar uw vorderingen.'

Meester Rembrandt zegt niks.

'Dat we graag willen weten of ons voorschot ervoor heeft gezorgd dat u aan de slag bent gegaan, en dat we graag zouden willen zien of we er al op staan en vooral hoe.'

Meester Rembrandt zegt niks.

'Aangezien wij nog niks hebben gezien, wil ik u wat laten zien.'

Hij pakt Albert hardhandig vast en trekt hem dichterbij. Cornelia kijkt weg. Hoewel ze elkaar niet zien, elkaar niet kunnen bekijken, voelt Albert toch dat ze met elkaar verbonden zijn, als door een onzichtbare draad. Hoewel dat natuurlijk niet kan. Hij schudt de gedachte als stof van zich af.

'Dit zijn wat kledingstukken, allemaal delicaat, allemaal kostbaar, waar ik mijzelf wel in zie poseren. Ik weet niet of u al een dag in uw hoofd hebt voor het poseren?'

Meester Rembrandt begint opeens hard te lachen.

Verschrikt kijkt Albert naar hem en dan naar Cornelia, die dit keer niet lacht, jammer genoeg, want als ze het wel doet voltrekt zich een wonder op haar gezicht.

Albert staat vlak naast zijn meester en zijn armen trillen van de inspanning om de kleren hoog te houden. Of komt het door wat anders? Hij voelt dat er iets belangrijks gebeurt.

Meester Rembrandt houdt op met lachen en loopt naar het raam.

'Is het 1639?' vraagt meester Rembrandt.

Alberts meester geeft geen antwoord.

'Is het 1639?'

'Ja,' zegt Alberts meester, 'ja natuurlijk. Domme vraag.'

'Zijn we in mijn atelier?'

Alberts meester geeft weer geen antwoord.

'Zijn we in mijn atelier?' buldert meester Rembrandt.

'Ja,' zegt Alberts meester verschrikt, 'maar waarom moet ik op zulke domme vragen antwoord geven? Ik kom hier met mijn knecht om u iets te laten zien en om een afspraak te maken voor het poseren.'

'Ben ik een kunstenaar?' vraagt meester Rembrandt.

'Ja,' zegt Alberts meester, 'u bent een kunstenaar.'

'Goed, dan kunt u nu gaan,' zegt meester Rembrandt. 'Cornelia, laat de luitenant en zijn knecht even uit.'

Cornelia kijkt neutraal naar de heer Van Ruytenburch en knikt. Albert wil dat ze ook naar hem kijkt, maar dat doet ze niet.

'Ik betaal u heel veel geld,' zegt luitenant Van Ruytenburch.

Rembrandt staat met zijn rug naar hem toe, haalt zijn schouders op en kijkt door het raam.

'Ik hoef geen genoegen te nemen met uw gedrag. Sterker nog: ik neem geen genoegen met uw gedrag,' schreeuwt luitenant Van Ruytenburch.

Meester Rembrandt draait zich langzaam om en komt rustig in zijn richting gelopen.

Albert staat naast Cornelia in de deuropening. Ze lijkt een beetje tegen hem aan te leunen, alsof ze steun zoekt. Alberts armen trillen nu zichtbaar.

Meester Rembrandt houdt zijn gezicht vlak bij het gezicht van Alberts meester.

'Ik ben de kunstenaar,' zegt meester Rembrandt, 'ik bepaal wat er op het schilderij komt en wat niet en wanneer, ik bepaal uw kleding, ik bepaal de compositie, ik bepaal. Ik stel u domme vragen, zegt u, maar als u die antwoorden al kent, hoeft u mij niet lastig te komen vallen. Dan kan ik tenminste werken!'

Meester Rembrandt draait zich beslist om en loopt naar het raam. 'U kunt gaan.'

Cornelia fluistert: 'Volgt u mij maar.'

Luitenant Van Ruytenburch gromt. Hij wacht tot Cornelia hem voorgaat, de trap af, laat haar de deur opendoen en stapt naar buiten.

Albert volgt hem op de voet. Hij kijkt nog een laatste keer naar het gezicht van Cornelia. Ze geeft hem een knipoog. Albert knippert met zijn ogen, ziet hij het wel goed? Hij houdt de kleding omhoog en rent achter zijn meester aan.

Hoofdstuk twaalf

De grote zware voordeur van het Blauwe Huys op de Herengracht is nog niet dichtgevallen of meester Van Ruytenburch snauwt: 'Opschieten!' Albert had dit verwacht, zijn meester is al uren kwaad en heeft zich in moeten houden.

Van Ruytenburch steekt zijn rechterbeen naar voren. Albert weet wat hij moet doen, maar hij moet eerst de zware stapel kleding kwijt. Buiten adem kijkt hij om zich heen, in het halfduister zoekt hij naar een redelijk schone plek voor de kostbare spullen.

'Ik sta op je te wachten! En jij noemt jezelf een knecht! Een slak is nog sneller dan jij!' schreeuwt Van Ruytenburch.

Albert is buiten adem van het rennen, maar hij probeert geen geluid te maken, want zulke dingen maken zijn meester woedend. Hij moet er zijn, altijd, maar niet opvallen. Geen aandacht vragen voor zichzelf, voor zijn lichaam, zijn wensen, zijn leven.

Hij legt de kleding over een eikenhouten betimmering, knielt neer voor zijn meester en wil hem zijn laars helpen uittrekken. Zijn meester trapt naar hem, hij ontwijkt de trap behendig, hier is hij op voorbereid; maar dat is hij nog altijd niet op de zware zweetlucht die zijn neus vult als hij de laarzen van zijn meester verwijdert.

Albert gaat zijn meester voor naar het leefvertrek. Meteen loopt hij naar de schouw, bukt zich om het vuur op te poken en trekt de zware stoel dichter naar het vuur.

'Brandewijn!' roept zijn meester en hij houdt zijn kroes omhoog.

Op een draf rent Albert naar de keuken, pakt de kruik en rent terug. Hij schenkt zijn meester in.

'Meer!' roept Van Ruytenburch. 'Wat heb ik aan zo'n slokje! Ik ben geen muis. Dat heb ik toch zo op. Kijk.' Meester Van Ruytenburch pakt de kroes en laat de inhoud in zijn keel lopen. Hij hoest even en wijst op de kroes. 'Zie je wel, dat is zo op.'

Albert houdt zijn zucht binnen. Hij weet al precies hoe de rest van de avond zal verlopen.

Albert wil de kruik terugbrengen naar de keuken, maar Van Ruytenburch houdt hem tegen. 'Laat hier maar staan. Je leert niet makkelijk, je onthoudt nooit wat ik wil. Je bent een domme jongen, een onnozele knecht. Dat moet ík net weer hebben. Wil je goed doen, krijg je dit.'

Even lijkt Alberts meester in gedachten verzonken, het licht van het vuur geeft zijn hele gezicht iets gevaarlijks, iets wreeds. Toch kan hij overdag soms ook vriendelijk zijn.

Maar dit is zijn ware gezicht, denkt Albert en hij staart de man aan. Buiten, in het openbare leven, doet zijn meester of hij een redelijk mens is, gematigd. Hij denkt dat niemand weet hoezeer hij van de brandewijn houdt en hoeveel invloed de brandewijn heeft op zijn humeur. Wat hij ziet, is dat iedereen naar hem knikt, zijn hoed of pet afneemt als ze hem zien en hem hoffelijk behandelen. Maar in de kleine steegjes, in de smalle huizen achter de trapgevels hoort Albert andere verhalen als hij voor zijn meester boodschappen doet. En zelfs tegen hem zijn ze niet altijd eerlijk.

'Wat staar je, onbeschaamde vlegel,' roept zijn meester en zijn stem slaat over.

'Het spijt mij, heer, het zal niet weer gebeuren,' zegt Albert snel.

'Kom hier,' zegt luitenant Van Ruytenburch.

Albert komt dichterbij.

'Nog dichter,' zegt Van Ruytenburch.

Dan tolt Albert op zijn benen. Zijn oor staat in brand, zo lijkt het.

'Zo doe je dat,' zegt meester Van Ruytenburch tevreden. Ze zeggen, mijn vrouw voorop, dat ik rekening met je moet houden, dat je nog in de rouw bent vanwege je moeder. Dat het kort geleden is dat ze overleed. Maar dat is niet zo, je bent hier al vier weken, vier weken heb je mijn dak boven je hoofd, eet je mijn eten op en drink je van mijn bier. Al vier weken werk je als een slak, doe je al je taken niet naar behoren, ben je vies en gedraag je je dom. Dan past geen medeleven meer, dan past een harde hand. Je bent een hond. Minder dan een hond.'

Hij neemt een ferme slok van de brandewijn en zet de kroes hard neer op de eikenhouten tafel.

'De enige reden dat je hier nog bent is dat ik kan doen met je wat ik maar wil. Ik kan je vergeten loon te geven en dan gebeurt er niks, ik kan je trappen of slaan en niemand zal er iets van zeggen dan dat het goed is dat ik je in huis heb genomen: een arme wees, die nergens heen kon en die niemand ooit zal missen, en iedereen zal respect voor me hebben.'

Hij maakt een handgebaar dat Albert begrijpt als 'ga uit mijn ogen' en de jongen stapt achteruit, het donker van de ruimte in.

'Vandaag ben je onbeschoft behandeld,' klinkt de stem van meester Van Ruytenburch. Albert knikt automatisch, maar herstelt zich snel in het halfdonker. Zijn meester praat niet tegen hem, maar tegen zichzelf. Hardop, over alle gebeurtenissen van de dag.

'Meester Rembrandt is de naam "meester" niet waardig als hij zo omgaat met zijn gasten, met zijn opdrachtgevers, zijn broodheren.' Hij schenkt zichzelf nog eens in.

De kruik is leeg en hij laat haar op de houten vloer vallen. Albert schrikt, pakt de kruik snel op, gaat naar de keuken, haalt een nieuwe.

'Te langzaam,' snauwt Van Ruytenburch als Albert terugkomt.

Albert zegt niks, gaat weer op zijn plek staan, uit het zicht van zijn meester in het halfdonker, en wacht. Zijn oor doet nog steeds vreselijk pijn. Nooit eerder had hij een oorvijg gekregen. Zijn moeder deed zulke dingen niet, integendeel, ze knuffelde hem. Hij sluit zijn ogen even, maar doet ze snel weer open. De herinnering is te pijnlijk.

Albert hoort zijn meester praten over het bezoek aan het huis van Rembrandt. Hij doet steeds en zegt steeds meer dingen die hij in het echt niet heeft gedaan, niet heeft gezegd. 'Schavuit – nee, ik zeg geen meester, ik zeg schavuit – Rembrandt, maak nu onmiddellijk een schets van mij in deze kleding! En schenk wat voor me in!'

Ondertussen wrijft Albert over zijn pijnlijke oor. Het is waar wat zijn meester zei. Hij is een wees en niemand zal hem missen.

Hij is zijn gedachten niet meer de baas. Al die vier weken, sinds zijn moeder er niet meer is, heeft hij geprobeerd deze herinnering krampachtig uit zijn gedachten te weren. Maar hij voelt dat het hem vandaag, nu, niet langer gaat lukken. De herinnering komt met de stekende en kloppende pijn van de oorvijg steeds verder zijn hoofd binnen: 'Ik laat je niks na, geen geld, geen bezittingen, en dat spijt mij. De wereld zal mij herinneren door jou, ik laat jou na. Dat is mooi.'

En ze had nog meer gezegd: 'Beloof me dat jij jezelf onvergetelijk maakt. Zeg "ik maak me onvergetelijk, dat beloof ik!" '

Sindsdien vraagt hij zich af wat hij eigenlijk heeft beloofd. 'Zich onvergetelijk maken.' Beloofde hij dat hij ook kinderen zou krijgen, net als zij? Zodat zij hem niet zullen vergeten? Of dat hij vaker bij een lepraloterij ceremoniemeester moet worden? Hij weet dat het om iets anders moet gaan. Maar om wat?

Albert knippert met zijn ogen, wrijft over zijn oor. Hij huivert, loopt naar het vuur en gooit er turf op. Meester Van Ruytenburch zit met gesloten ogen in zijn stoel en mompelt af en toe iets tot het mompelen overgaat in snurken, luid snurken.

Hoofdstuk dertien

Albert staat voor de kledingkast van zijn meester en neuriet. Niet omdat hij zo vrolijk is, maar met de hulp van het neuriën kan dat veranderen. Dat leerde zijn moeder hem.

Hij streelt de prachtige stoffen en borstelt ze vol aandacht af voor hij de kledingstukken een voor een terughangt.

Een fluwelen broek hangt hij niet op, omdat die vies is. En een brokaten cape hangt hij niet terug, omdat deze eerst gelucht moet worden. Er komt een alcoholwalm vanaf. Albert probeert niet te veel door zijn neus te ademen, maar opent zijn mond een stukje. Hij kijkt naar het kostbare kledingstuk in zijn handen. Het is een ruimvallende, diepblauwe fluwelen omslagmantel met handgeborduurde sterren. Prachtig als een heldere nacht in de buitenlucht. Albert houdt de mantel voor zich en aarzelt.

Zijn meester weet niet dat hij hier aan het werk is, die ligt luid snurkend zijn roes uit te slapen. Hij zal vannacht waarschijnlijk wakker worden, kattig en stijf, en door Albert naar bed willen worden begeleid.

Hij neuriet weer, een vrolijk liedje over een kind dat zo blij is dat de zon schijnt.

Zal hij die mantel eens aantrekken? Er ook mooi uitzien? Voornaam zijn, belangrijk?

Hij maakt de knoop aan de bovenkant los en ook de andere knoop, aan de binnenkant van de hals. Even stopt hij met neuriën en luistert scherp.

Hij hoort alleen de wind, buiten. In huis is het stil.

Voorzichtig slaat hij de mantel om zich heen. Door de zware stof op zijn schouders voelt hij zich meteen anders. Groter.

Hij weet best dat hij bijzonder klein is voor zijn leeftijd. Maar daar kan hij niks aan doen. Zo is het. Met deze mantel om voelt hij zich in ieder geval groter. Het lijkt wel toveren.

Eigenlijk zou hij zichzelf in de spiegel willen bekijken, maar dat kostbare stuk hangt ergens anders, in de pronkkamer, vlak naast het leefvertrek van zijn meester.

Hij neuriet weer en moet zijn moeder gelijk geven: van neuriën word je vrolijk. Van zo'n mooie mantel ook. Hij voelt zich nu ook veel beter.

Zal hij naar de pronkkamer gaan? Zichzelf bekijken?

De kans dat zijn meester wakker wordt is maar heel klein, en als hij toch wakker wordt, zal hij vast niet op zoek gaan naar zijn knecht, maar hem gewoon roepen, ongeduldig en boos, net als anders.

Zacht sluipt hij door de gang naar de pronkkamer; hij opent heel voorzichtig de deur, maar die kraakt toch, en niet zacht maar juist luid. Albert houdt verschrikt op en wacht. Luistert. Morgen zal hij er meteen wat olie op smeren. Als zijn meester nu maar blijft slapen!

Het huis blijft stil. Al hoort hij nu het tikken van de klok in het leefvertrek heel duidelijk. Het snurken van zijn meester is opgehouden, maar dat is wel vaker zo. Op kousenvoeten loopt Albert verder de pronkkamer in. Hij staat onder de kleurrijke glas-in-loodkoepel, naast de pronkkast met Chinees en Japans porselein.

Daartegenover, aan de muur, hangt de spiegel. Het is een groot en kostbaar stuk. Hij zou niet verbaasd zijn als zijn meester hem heel wat meer geeft dan een oorvijg als daar iets mee zou gebeuren.

Albert bekijkt zichzelf in de spiegel. Hij haalt diep adem en houdt als vanzelf die adem in: het kledingstuk staat hem geweldig. Hij lijkt een belangrijk man. Hij voelt zich de jonge prins van de oude koningin. Hij slikt.

Als hij langer kijkt, ziet hij wel dat de mantel veel te groot voor hem is; hij blijft klein, maar hij vindt zichzelf toch een heel deftige vent. Niemand zou het wagen om op wat voor manier zomaar aan zijn oren te komen, denkt hij.

Voorzichtig maakt hij de binnenste knoop dicht en sluit daarna de grote sierknoop aan de voorkant. Het knoopsgat is niet zoals hij gewend is, rafelig en dun, het is rondom dichtgenaaid en zo stevig dat het nooit stuk kan gaan.

Hij doet zijn armen wijd en de machtige stof met de geborduurde sterren laat zich in al zijn pracht bewonderen. De sterren stralen net zo als zijn ogen.

Hij bekijkt zijn gezicht van dichtbij, wordt even serieus als hij ziet dat zijn ogen ook grijs zijn, net als die van zijn moeder, maar glimlacht snel weer.

Hij stelt zich voor dat meester Rembrandt van Rijn tegen hem roept: 'Prachtig, Albert, even houden zo!' Met vaardige vingers schetst de kunstschilder zijn gelaatstrekken. En zijn meid Cornelia kijkt toe. Ze komt steeds dichter bij Albert staan.

Albert draait zich nog eens om, gaat dan heel dicht bij de spiegel staan en denkt aan Cornelia. Hij denkt aan de tekening die hij op straat vond, een hele tijd geleden, voor zijn gevoel bijna in een ander leven, toen alles nog zo was als het moest zijn. Cornelia komt steeds dichter bij en haar ogen laten de zijne niet los tot ze ze sluit en haar lippen tuit en hij meester Rembrandt vraagt...

'Wegwezen, jij onderkruipsel! Wat doe jij daar in mijn kleding bij mijn spiegel!' De stem van zijn meester verstoort ruw Alberts fijne gedachten.

Hij zit fout, helemaal fout, en hij is gesnapt. Als vanzelf krimpt Albert in elkaar. Wat zal er nu met hem gebeuren?

'Niet slaan, meester, alstublieft, het spijt mij, ik... ik... ik ruimde uw kleding op, het is zo mooi en ik... toen heb ik... ik wilde niet...'

'Ik zal je laten zien waar je hoort, onderkruipsel. Trek onmiddellijk mijn kostbare kleding uit, dan neem ik je daarna mee.'

Zo snel Albert kan maakt hij de twee knopen los, maar het gaat niet zo snel, de knoopsgaten zijn zo stevig en stug en zijn vingers willen niet doen wat ze moeten doen.

Ruw trekt de luitenant aan de stof en de knoop springt eraf, valt ergens hoorbaar op de grond.

'Dat los je morgen maar op, nu ga je uit mijn ogen, op een plek die precies past bij zo'n vuil, vies, achterbaks onderkruipsel als jij. Het is maar goed dat ik die nutteloze plek nog niet heb afgebroken, nu kan een niksnut als jij erin.'

Hij sleurt Albert mee, de deur door, naar buiten, de kleine binnenplaats over, en stopt voor een bouwvallig hok.

'In dit vuile kot hoor jij thuis!' zegt zijn meester. 'Want je bent niks waard! Minder dan niks!'

Hij laat Albert even los, maar die durft zich natuurlijk niet te bewegen en wacht op wat er gaat komen. Meester Van Ruytenburch opent het slot van het hok en trekt het deurtje naar zich toe. Er komt een nare doordringende lucht achter vandaan, de geur van een dichtgegooid privaat, de geur van oude poep en pies.

'Erin!' zegt meester Van Ruytenburch en gehoorzaam kruipt Albert de vieze lucht en het donker tegemoet.

Zijn meester duwt tegen het deurtje en Albert hoort hoe hij het slot sluit.

'Als jij je niet als een mens gedraagt, dan hoef je ook niet als een mens behandeld te worden,' snauwt meester Van Ruytenburch. 'Denk daar maar eens over na. O ja, er schijnen nogal wat ratten met honger om je heen te lopen. Dus... Maar niemand zal je missen. En als iemand je al mist, zijn ze je zo weer vergeten.'

Albert hoort de wankele voetstappen van zijn meester wegsterven. De zware huisdeur sluit zich achter hem. Het wordt stil. Hij rilt.

Vannacht zal hij dus in dit kot doorbrengen. Voor straf, omdat hij in de kleding van zijn meester voor diens kostbare spiegel stond, als een parmantige praalhaan. Hij heeft het verdiend. Hij is dom, hij is langzaam en deugt nergens voor, dat blijkt maar weer.

Albert maakt zich klein; nu de warme mantel niet meer om hem heen hangt en de koude buitenlucht over zijn blote armen speelt, kan hij niks anders doen dan wachten op de morgen. Hij zal het steeds kouder krijgen en dat is terecht. Hij had beter moeten weten.

Morgen, dan zal meester Van Ruytenburch hem nodig hebben. Dan zal hij bevrijd worden uit dit stinkende koude kot. Morgen zal hij nog veel meer zijn best doen, hij zal zijn uiterste best doen en zijn meester eindelijk tevreden maken.

Hij onderbreekt zijn gedachten en tilt zijn hoofd op, zijn oren zijn gespitst. Was daar een geluid, een heel zacht schuiven, vlak bij hem? Zijn dat die enorme ratten waar meester Van Ruytenburch over sprak? Enorme ratten met honger?

Onmiddellijk kruipt Albert weer in elkaar, alsof een rat hem zo niet op zal merken.

Hij hoopt dat hij zich heeft vergist. Maar meteen weet hij dat dat niet zo is, want hij hoort het weer, een zacht schuifelen, vlak bij hem.

Er is daar duidelijk iets. Iets wat volgens hem dichterbij komt. Albert ziet al scherpe tanden voor zich, scherpe klauwen, en hij hoort een onmenselijke kreet. Ongeboren Gerrit? Rustig, zegt hij bij zichzelf, dit verzin je maar. Albert zit niet langer op zijn hurken, hij zit op zijn billen op de vochtige ondergrond. Zijn benen hielden hem niet meer.

Het geluid naast hem is er weer. Harder, duidelijker.

Nu heeft mijn laatste uur geslagen, denkt Albert.

Zijn belofte aan zijn moeder heeft hij niet kunnen inlossen. Dat is erg, dat is vreselijk, want dat is alles wat hij heeft. Die belofte is van hem. Hij heeft geen moeder meer, geen geld en geen bezittingen, alleen een belofte. Ook al weet hij niet precies hoe hij die in moet lossen, ze is van hem.

Iets vochtigs duwt tegen de buitenkant van zijn rechteronderarm.

Hij verstijft. Nu is het zover, zo meteen zal hij opgegeten worden.

Maar er gebeurt nog niks.

Het geduw tegen zijn arm gebeurt door iets met een warme adem. Hij durft niet opzij te kijken om te zien of hij wat kan zien in dit donker.

Maar toch draait hij langzaam zijn hoofd naar rechts, want alleen wachten is niet genoeg. Hij moet iets doen.

Hij ziet naast zich twee donkere ogen glimmen. Ze zijn niet groot en agressief. Albert steekt voorzichtig zijn hand uit en voelt haren, krullerig haar. Dan piept er iets. Het komt van heel ver, van heel diep. Als vanzelf aait Albert. Hij krijgt een enorme warme lik en weet nu wat het is: een hond.

Een bange hond.

Hij aait de vacht, de kop, de flanken van het dier. Langzaam komt de staart in beweging. Een kwispelende staart.

Een warm gevoel maakt zich van Albert meester.

Hij vindt nog een harde korst brood in zijn zak en geeft die aan de hond.

'Kom maar,' zegt Albert zacht, 'kom maar bij me liggen, dan houden we elkaar warm.'

Hoofdstuk veertien

Albert wordt wakker als zijn meester aan het slot morrelt.

De hond krimpt in elkaar en trekt zijn bovenlip op.

Albert ziet nu dat het een vaalwitte hond is, met kort haar. Het dier heeft lieve, schuwe ogen, dat had hij vannacht ondanks het diepe donker goed gezien.

'Komen!' roept meester Van Ruytenburch, 'maak warm water. Je had het allang klaar moeten hebben.'

De hond trekt zijn bovenlip nog verder op en begint zacht te grommen.

Albert denkt dat meester Van Ruytenburch niet van honden houdt en zeker niet van grommende honden.

'Ssst, stil maar,' zegt Albert heel zacht tegen de hond, die hij zomaar Witta besluit te noemen. 'Ik kom al, heer,' roept hij wat harder en hij kruipt zo snel hij kan het kot uit.

Natuurlijk kan hij niet zeggen dat hij niet eerder kon beginnen omdat hij opgesloten zat.

Buiten buigt hij meteen zijn hoofd – alleen de gedachte al.

Hij rekt zijn stijve ledematen zo onopvallend mogelijk uit.

'Vort,' zegt zijn meester.

Albert zal straks uitzoeken hoe Witta in het kot terecht is gekomen, en dan zal hij haar wat water en een stuk brood brengen.

Maar nu rent hij naar de keuken om daar water op te pompen, het vuur aan te maken en het water erboven te verwarmen zodat zijn meester zich kan wassen en scheren.

Niet dat het water erg schoon is. Zijn meester ruikt alleen maar even lekker omdat hij heel veel zeep gebruikt en zich na afloop met geurwater besprenkelt.

Albert drinkt een kom melk leeg terwijl hij wacht tot het vuur goed brandt. Hij staart in de vlammen en denkt na. Over Cornelia, over zijn meester, over zijn moeder, over Witta.

'Is het al klaar?' roept zijn meester vanuit de verte.

Albert rent naar diens vertrek en zegt dat het vuur nog niet warm genoeg is om de ketel erboven te hangen.

In de keuken begint het behaaglijk aan te voelen en Albert hangt de ketel boven het vuur.

Dan pakt hij de zeep en een handdoek en loopt ermee naar de kamer van zijn meester.

'Het was toch niet te koud, hè, vannacht?' vraagt zijn meester plotseling. Albert verschuift het stuk zeep en aarzelt.

Is het werkelijke interesse, of gaat Van Ruytenburch straks wat onaardigs zeggen? En moet hij over Witta vertellen?

'Nee, heer, het viel mee,' zegt Albert.

Albert ziet dat zijn meester knikt. 'Je had straf verdiend, maar ik heb niks aan een doodgevroren knecht.' Hij maakt een gebaar naar Albert – 'wegwezen' betekent dat.

Opgelucht loopt Albert naar de keuken en hij ziet dat het water al bijna warm genoeg is.

Zijn meester is geen slecht mens, het komt door Albert zelf, door zijn domme gedrag dat zijn meester zo streng moet doen. Dat weet hij best.

Zijn moeder was altijd lief en aardig voor hem, maar daar was ze ook zijn moeder voor. Hier is hij in dienst, hier moet hij zijn onderdak en kost verdienen. Hij krijgt wat hij verdient. Zo is het.

'Is het nou eindelijk klaar?' brult zijn meester.

Albert kijkt naar het water en ziet dat het meer dan een beetje warm is. Snel haalt hij de ketel van het vuur en giet het water in de kom. Hij rent naar zijn meester en zegt dat het klaar is.

'Breng het dan hier!' Luitenant Van Ruytenburch gooit zijn handen in de lucht, waarmee hij wil zeggen: 'Dat kun je zelf toch wel bedenken...'

Albert rent terug, pakt voorzichtig de kom op en loopt langzaam naar het vertrek van zijn meester.

Hij zet de kom neer en loopt weg.

Net voor hij de deur wil sluiten, zegt zijn meester: 'Ik wil dat je straks bij de brandewijnstoker langsgaat en dat je verder nog wat polkabrokken haalt en haring. Maar doe eerst je gewone taken.'

'Goed, heer,' zegt Albert.

Overdag is zijn meester aardiger dan in de avond, als de brandewijn op tafel staat. Hij heeft het niet slecht getroffen, zegt Albert tegen zichzelf, of in ieder geval kan het slechter. Albert denkt dat als hij dat maar vaak genoeg zegt, hij het vanzelf wel gaat geloven. Wat moet hij anders?

Albert loopt terug naar de keuken en begint aan het ontbijt van zijn meester. Misschien blijft er een korstje brood over dat hij aan Witta kan geven.

Hij neemt zich weer voor vreselijk zijn best te doen vandaag en geen fouten te maken.

Hoofdstuk vijftien

Vlak bij huis blijft Albert midden op straat stilstaan. Een man botst tegen hem op en zegt boos: 'Uitkijken, uilskuiken.' Albert buigt zijn hoofd. Niemand is meer aardig tegen hem.

Hij kijkt van een afstandje naar de werkplaats van de timmerman. Hij herkent de plek: daar is hij al eens eerder langsgekomen. Dat was toen hij naar de chirurgijn ging voor zijn moeder. Dezelfde dikke man werkt er nog steeds, maar deze keer kijkt hij niet naar het hout of naar de werktafel, maar naar hem.

'Kom verder, jongen, kom erin!' De dikke man wenkt hem de werkplaats binnen.

Albert snuift de verse houtgeur op. Hier ruikt het lekker, hij krijgt er honger van.

Hij ploft neer op een houten bankje vlak bij de deuropening.

'Alles goed, knul?'

'Best, heer,' zegt Albert.

'Paulus,' zegt de timmerman en hij geeft Albert een stevige hand.

'Albert, heer.' Hij zal nooit Paulus tegen hem durven zeggen.

'Hoe vind je mijn kruiwagen?' Paulus wijst naar een houten kruiwagen.

'Mooi!' zegt Albert enthousiast. Hij staat op en laat zijn vingers langs het gladde houtwerk glijden.

'Moet je wat bestellen voor meester Van Ruytenburch? Een mooie houten stoof, een kast, een ombouw voor de schouw?' Albert is niet verbaasd dat Paulus weet dat hij bij meester Van Ruytenburch werkt. Nieuws gaat snel rond hier in de buurt.

Albert schudt zijn hoofd. 'Hij heeft alles al.'

'Iets voor zijn buitenhuis dan?'

'Ook daar heeft hij alles.' Albert is in de weken dat hij bij meester Van Ruytenburch werkt, een keer in het buitenhuis in Vlaardingen geweest. Het is groot, hoog, met een lange oprijlaan ernaartoe, en de kamers lijken wel balzalen.

'Jammer. Maar ach, ik heb eigenlijk werk genoeg, meer dan genoeg zelfs, het lijkt wel alsof iedereen wat wil kopen, alsof iedereen centen zat heeft,' zegt de dikke Paulus. 'Kom je zomaar langs?'

'Het ruikt hier zo lekker, heer,' zegt Albert, 'en ik wilde weten wat dat was.' Hij wijst naar de bijzondere tafel.

'Een werkbank,' zegt Paulus en er is trots in zijn stem te horen, 'met hier een bankschroef.'

Albert knikt bewonderend.

Hij kijkt naar Paulus' vaardige handen, die met een schaaf krullen van een groot stuk hout halen.

'Morgen komt hier een knecht op proef. Zijn ouders brengen hem, en hij blijft als we het eens worden over de prijs die ze gaan betalen voor zijn opleiding. Ik ben benieuwd. Het is een jongen van jouw leeftijd. Je moet overmorgen maar eens langskomen om kennis te maken. Volgens mij wonen er in deze buurt niet zo heel veel jongens van jouw leeftijd.' Paulus stopt even met schaven en veegt het zweet van zijn voorhoofd. Hij drinkt een slok bier en schuift het in de richting van Albert.

Albert schudt zijn hoofd.

'Dus je zit de tijd van je meester te verdoen?'

Albert staat verschrikt op. Hij dacht dat Paulus hem mocht.

'Grapje, jongen, ga lekker zitten. En stop met dat "heer" zeggen, ik krijg er de zenuwen van!'

Aarzelend gaat Albert weer zitten. 'Ik moet brandewijn halen en nog veel meer.'

Paulus buigt zich weer over zijn werk. 'Ik mag je meester niet, jongen,' zegt hij, 'hij doet of hij belangrijk is, daar houd ik niet van.'

Albert schrikt van deze woorden. Zijn meester ís een belangrijk man, en dat zegt Albert dan ook hardop tegen Paulus.

'Zeker,' zegt Paulus, 'op een bepaalde manier wel. Maar of je belangrijk bent, zit ook hier.' Hij geeft met een vuist een klap op zijn borst. 'Of niet soms?'

'Hij is ook van adel,' zegt Albert.

'Die titel schijnt gekocht te zijn.'

'Hij is advocaat.'

'Hij kan iedereen verdedigen, hij heeft geen geweten.'

Weer geeft Paulus een klap tegen zijn borst. 'Daar zit het bij hem niet goed.'

Hij schaaft een enorme krul af en houdt het stuk hout waaraan hij werkt omhoog. Nu ziet Albert wat hij aan het maken is: een kastopzet. Paulus pakt een fijner stuk gereedschap en maakt razendsnel de contouren van een roos.

'Zeg eens eerlijk, jongen, heb je het naar je zin daar?'

'Nou... ik... best... nou... hij is...' zegt Albert.

'Dat bedoel ik,' zegt Paulus. 'Iedereen weet hoe hij is na vijf brandewijntjes. Alleen hijzelf niet.' Paulus snuift verontwaardigd.

Albert kijkt hem aan en de blik die hij ontmoet is ongewoon zacht. Albert slikt iets weg. Er zit opeens iets dwars in zijn keel. Hij grijpt naar het bier.

Paulus loopt naar Albert toe en tilt hem met gemak op. Hij zet

Albert in de kruiwagen en duwt die de deur van de werkplaats door naar buiten. Daar duwt hij hem met grote vaart door de smalle stegen, terwijl hij steeds roept: 'Uit de weg!' en Albert steeds harder gilt.

In de buurt van het huis van de verkoper van brandewijn zet Paulus de kruiwagen neer.

'Die doet het,' zegt hij tevreden. 'Je bent hier toch niet te oud voor, te oud voor een geintje?'

'Dank u,' zegt Albert dankbaar lachend, 'dat was leuk.'

'Overmorgen zie ik je weer, hè?'

Hoofdstuk zestien

Albert opent aan het einde van de lange werkdag de deur van zijn kamertje. Zijn hoofd doet pijn. Er is al de hele dag in zijn hoofd een gedachte aan het groeien waar hij niet bij kan komen. Die gedachte neemt alle ruimte in beslag, zo lijkt het wel, en toch weet Albert niet wat die gedachte is, behalve dat ze belangrijk is, heel erg belangrijk, en pijn veroorzaakt. Hij pakt het brokje nootmuskaat en ruikt eraan, houdt met twee handen de kom van zijn moeder vast. Dan kruipt hij met zijn kleren aan in de bedstee en sluit de deuren.

Donker.

Albert zucht. Hij leunt tegen de grote stapel kussens in zijn rug.

Het was ook een lange dag vol activiteiten. Hij is overal in de stad geweest. Hoorde het vrolijke klokkenspel van de verschillende kerken. Rende door stegen, onder de toegangspoorten door naar de verschillende plekken waar zijn meester hem voor boodschappen naartoe stuurde. Hij glimlacht als hij terugdenkt aan het tochtje met de kruiwagen en het fijne gesprek met Paulus, de timmerman.

Zijn benen doen pijn, maar zijn hoofd voelt hij nog erger.

Hij sluit zijn ogen. Van al het werk is hij moe geworden.

Normaal zou de dienstmeid het eten hebben gekookt, maar dat doet hij de laatste tijd zelf, want ze is met de beide dames mee naar het buitenhuis. Zijn meester vond het avondeten dat Albert vandaag maakte, niet lekker. Hij liet het staan en dronk in plaats daarvan wat extra brandewijn.

Zijn meester slaapt net. Hij praatte langer door dan anders, hardop tegen zichzelf, terwijl Albert wachtte tot hij kon gaan.

'Ik ben niet de eerste de beste, ik ben niet van de straat. Ik ben een voornaam man, ik laat mij door die meester Rembrandt niet behandelen als een voetveeg,' zei zijn meester hardop. 'Ik laat mij vereeuwigen voor het nageslacht. Hij mag mij vereeuwigen. Over honderd jaar of langer zullen mensen naar het schilderij kijken en mij zien en zich afvragen wie ik ben, wie ik was. Ik ga nooit verloren. Eeuwig, eeuwig blijf ik voortbestaan.'

Albert trekt de deken wat omhoog. Hij krijgt het maar moeizaam warm. Hij is zo moe.

Iemand aait hem over zijn haren. Hij glimlacht. Dat is prettig. Hij hoort die iemand neuriën, een liedje dat hij heel goed kent.

Zachtjes begint hij mee te neuriën en daar wordt hij vanzelf vrolijker van.

De persoon aait hem nog steeds over zijn haren en tevreden doet Albert zijn ogen open om te zien wie het is.

Hij kijkt recht in de grijze ogen van zijn moeder. Eerst schrikt hij. Dit kan niet, denkt hij. Maar ze lacht zo lief en geruststellend en zijn hoofd doet zo'n pijn, dat hij toch zijn ogen weer sluit en zich laat aaien.

'Je weet, lieverd,' zegt zijn moeder, 'dat je heel veel waard bent. Ik vergeet jou nooit en jij vergeet mij nooit. En je weet ook wat je mij beloofd hebt, op mijn sterfbed. Vergeet het niet.'

Meteen zit Albert rechtop, stoot heel hard zijn al pijnlijke hoofd en weet meteen: dit kan niet, dit was een droom. Zijn hart klopt in zijn keel. Zijn hoofd doet nu nog meer pijn, het voelt als een enorme bol die op knappen staat. Hij heeft het nog steeds koud. Hij voelt de lieve handen van zijn moeder nog over zijn haar gaan, ziet haar ogen weer, hoort haar stem en haar geneurie. Snel veegt hij de tranen uit zijn ogen. Hij moet sterk zijn. Een man huilt niet.

De deken zit nu tegen zijn kin en zijn voeten zijn bloot. Hij rilt, duwt de deur van zijn bedstee open, trekt zijn schoenen aan en neemt zijn deken mee.

Zo zacht als hij kan sluipt hij naar buiten, naar het kot.

Teleurgesteld rammelt hij aan de gesloten deur, hij kan er niet in, zijn meester heeft de sleutel.

'Witta,' roept hij zacht, 'hoe ben jij erin gekomen?'

Hij hoort de hond opspringen en blaffen.

'Ssst,' roept Albert.

Hij loopt om het kot heen en ziet een graafplek naast het kot en een heel kleine opening.

Albert bukt ernaast.

'Slim beest,' zegt hij, 'je hebt gewoon je eigen weg gemaakt.'

Hij denkt aan wat zijn moeder zei: 'Zet altijd de deur open voor geluk'; dit is zijn deur naar geluk, nu, vandaag. Albert graaft nog wat aarde opzij, gaat op zijn billen zitten en schuift stukje voor stukje zichzelf naar binnen. Voor een keer in zijn leven is hij blij dat hij zo klein is.

Binnen krijgt hij een warm onthaal van Witta, ze likt hem in zijn gezicht.

'Ben je blij, brave Witta?' vraagt hij. 'Ik ook.'

Hij gaat op de stinkende grond liggen. Witta komt meteen

tegen hem aan liggen. Hij gooit de deken over hen tweeën heen.

Ze maken het samen warm. De hond zucht diep en tevreden. Albert ontspant zich ook. Langzaam verdwijnt de bol in zijn hoofd en komt zijn helderheid op volle kracht terug.

Dan gaat hij voor de tweede keer plots rechtop zitten en stoot weer zijn hoofd.

'Ik weet het!' roept hij en hij slaat zijn hand voor zijn mond. 'Ik weet het,' zegt hij zachter tegen Witta.

De hond kijkt hem aan.

'Ik weet nu hoe ik mij onvergetelijk moet maken! Dat ik daar niet eerder op kwam! Mijn meester heeft echt gelijk: ik ben dom.'

Hij gaat liggen en de hond schuift weer tegen hem aan. Albert kan niet slapen, maar hij heeft geen hoofdpijn meer en een zeer helder hoofd met een blije gedachte. 'Ik weet nu hoe ik de belofte aan mijn moeder waar kan maken. Eindelijk!'

Hoofdstuk zeventien

Hij wordt wakker van de luide stem van zijn meester die hem nodig heeft. 'Komen! Waar zit je!'

Albert wrijft zijn ogen uit, kruipt zo snel hij kan door het gat aan de achterkant van het kot en rent naar binnen, naar zijn meester.

'Hier ben ik, heer,' zegt Albert.

Zijn meester knijpt zijn neus dicht. 'Je stinkt! Hoe kan dat, je komt net uit je bedstee.'

Albert haalt zijn schouders op. 'Ik weet het niet, meester,' zegt hij, maar hij weet het wel: het komt door het slapen in het kot natuurlijk.

'We hebben bezoek, dat had jij moeten aankondigen!'

Albert hoort dat er iemand heen en weer loopt in de pronkkamer.

'Wat is er met jou aan de hand?' vraagt zijn meester opeens argwanend.

'Niks,' zegt Albert, 'ik bedoel: niks, meester.'

'Je ziet er zo anders uit dan normaal.'

Luitenant Van Ruytenburch bekijkt zijn knecht langer dan anders.

'Mmm, vreemd,' zegt hij, 'je ziet er bijna... eh blij uit.'

Albert denkt aan zijn plan van vannacht. De belofte aan zijn

moeder kan hij eindelijk inlossen. Dan voelt hij zijn hoofd langzaam warm en rood worden. Het komt niet door wat meester Van
Ruytenburch tegen hem zegt, het komt niet door zijn eigen blije
gedachten, het komt doordat hij de persoon die in de pronkkamer
heen en weer loopt, ziet. En het is niet zomaar iemand. Zijn hoofd
is inmiddels warmer dan de zon.

'Laat dan eindelijk de meid van meester Rembrandt binnen.'

Van Ruytenburch maakt een hoofdgebaar naar de pronkkamer.
Albert zet drie grote passen en opent de deur zo wijd hij kan.

'Kom verder,' zegt hij en hij hoopt dat het rood in zijn gezicht
al wat is afgenomen. Hij hoopt dat ze hem niet ruikt.

'Zeg het eens,' zegt zijn meester tegen Cornelia, die nog veel mooier is dan Albert zich herinnerde. Albert staart naar haar.

'Kom je langs om de excuses van je meester over te brengen
voor zijn gedrag van laatst?' vraagt Van Ruytenburch.

'Nee, heer,' zegt Cornelia zacht, 'het spijt mij, maar mijn meester Rembrandt nodigt u uit in zijn atelier.'

'Zo, zo,' zegt luitenant Van Ruytenburch, 'voor welke gelegen-
heid, als ik dat vragen mag? Hij wil mij toch niet opnieuw domme
vragen stellen en beledigen?'

Cornelia kijkt hem angstig aan.

'Allerminst,' zegt ze verschrikt. Ze kijkt hulp zoekend naar Albert.

'Hij wil u vast laten poseren,' zegt Albert.

'O, jij kunt opeens gedachten lezen?' vraagt zijn meester hem.

'Het spijt me,' zegt Albert. Hij wil zijn hoofd buigen, maar doet
het niet want Cornelia lacht naar hem. Heel snel glimlacht hij
terug. Wat is ze mooi! Wat is ze lief!

'Meester Rembrandt zou alvast wat schetsen willen maken, stu-
dies willen doen van uw edele gelaatstrekken en enkele kleding-

stukken aan u willen voorleggen,' zegt Cornelia. 'Als het u schikt, zou het deze middag al kunnen.'

Luitenant Van Ruytenburch doet net alsof hij heel diep nadenkt over deze vraag. Albert weet dat hij speciaal in de stad is gebleven toen mevrouw Van Ruytenburch en de oude mevrouw Van Ruytenburch, zijn moeder, voor enkele weken naar het buitenhuis in Vlaardingen vertrokken.

'Weet je zeker dat je niet meegaat?' had zijn vrouw hem gevraagd bij haar afscheid. Zijn moeder stond op gepaste afstand te wachten tot ze konden gaan. Luitenant Van Ruytenburch schudde zijn hoofd. 'Meester Rembrandt kan mij elk moment ontbieden en ik wil er mooi op komen te staan. Ik neem dus de tijd ervoor.' Ze vertrokken.

Van Ruytenburch wachtte vier volle weken op de uitnodiging van meester Rembrandt, en toen die niet kwam, ging hij naar het atelier toe met zijn mooiste kleding.

'Ik denk dat ik wel een momentje kan vrijmaken vandaag,' zegt zijn meester. 'Om twee uur?'

Cornelia knikt. 'Ik zal het hem zeggen, heer,' antwoordt ze en ze buigt even door haar knieën.

Ze kijkt naar Albert en Albert kijkt terug. Dan kucht ze. Hij kucht ook. Zij kucht iets nadrukkelijker.

'Laat haar even uit,' zegt Alberts meester.

'Natuurlijk.' Albert loopt naar de deur en houdt deze voor haar open. Dan loopt hij door naar de volgende deur en opent ook die voor haar.

Als hij Cornelia door de laatste deur laat gaan, de voordeur, draait ze zich even naar hem om, kijkt hem aan en zegt zacht: 'Tot zo.'

Albert is zenuwachtig als ze die middag naar het huis van meester

Rembrandt aan de Jodenbreestraat lopen. Zenuwachtig omdat hij Cornelia weer zal zien, maar ook zenuwachtig omdat hij haar iets moet vragen. Hij heeft zich heel goed gewassen en al zegt hij het zelf: hij ruikt heerlijk.

Luitenant Van Ruytenburch is ook zenuwachtig. Hij gebruikt veel meer tijd dan anders om zich te wassen, te scheren en aan te kleden. Bij elke stap die hij zet waait er een poederig parfum Alberts neus binnen.

Ze lopen de vier treden voor het huis op en staan op het bordes. De deur gaat meteen open, Cornelia laat hen binnen en gaat hen bij meester Rembrandt aankondigen.

De hal is ruim en hangt vol schilderijen. Van de meester zelf en van anderen. Dat heeft Albert opgevangen bij de brandewijnstoker. Er wordt gefluisterd dat meester Rembrandt goed verkoopt: eigen werk, dat van anderen en van zijn beste leerlingen als Govert Flinck, maar dat er meer geld uitgaat dan er binnenkomt.

Albert kijkt naar een schilderij waar een meisje op staat met haar ene borst ontbloot. Hij staart ernaar. Schichtig kijkt hij of zijn meester het ziet, maar die tuurt de zijkamer in, de plek waar de meeste gasten moeten wachten en waar zijn meester die laatste keer ook heel lang heeft gewacht. Zijn meester aarzelt even en loopt dan de kamer in. Moet Albert hem volgen? Ze zijn er niet binnengelaten…

Hij luistert of hij Cornelia hoort komen, maar het is stil.

Albert volgt zijn meester. Hij staat bij de marmeren schouw, tikt erop en kijkt om naar Albert.

'Moet je voelen,' zegt zijn meester. Albert komt naar hem toe en ruikt een zweterige poedergeur.

'Maar, heer, ik weet niet of we hier wel mogen staan en aan de spullen mogen komen,' zegt Albert.

'Als er problemen komen, is het mijn verantwoordelijkheid,' zegt luitenant Van Ruytenburch.

Albert moet weer denken aan die eerste dagen nadat zijn moeder was gestorven. Hoe de luitenant hem een plaats aanbood in zijn huishouden en hem zijn taken uitlegde. Hij keek net zo serieus en sprak net zo dwingend als nu. Albert begrijpt best dat hij uitstekend manschappen kan aansturen, bijvoorbeeld de schutters, en dat hij een goede advocaat is: als hij praat, luistert iedereen.

Albert legt zijn hand op het marmer en voelt meteen dat het geen marmer is, het is niet koel, niet zo koud als steen hoort te zijn.

'En dan hier,' zegt zijn meester en hij pakt Alberts hand en legt die op een andere plek. Ook dat lijkt marmer, maar het voelt niet zo. Albert verplaatst zijn hand van de ene plek naar de andere en kijkt zijn meester verbaasd aan.

Die draait zich om en laat hem de ombouw van de bedstee voelen: overal hetzelfde hout, maar toch ziet het eruit alsof het om twee houtsoorten gaat omdat de ene donker is geschilderd, op een heel knappe manier. Albert brengt zijn gezicht dichter naar het hout toe.

'Zie je, jongen, niet alles is altijd wat het lijkt,' zegt zijn meester.

'Dat is een waar woord,' zegt meester Rembrandt, die tegen de deurpost geleund staat en hen waarschijnlijk al een tijdje bekijkt.

Albert schiet overeind en begint te stamelen.

Meteen legt meester Rembrandt zijn vinger tegen zijn lippen, een sussend en geruststellend gebaar.

Hij geeft luitenant Van Ruytenburch een stevige hand. 'Welkom, goed dat u zich zo snel kon vrijmaken. Boven heb ik wat kleding voor u klaargelegd, die kunt u eerst passen en dan verwacht ik u in mijn atelier.'

Meester Rembrandt loopt terug naar boven en Cornelia vraagt Albert ook mee naar boven te lopen om de kleding te halen en naar beneden te brengen.

Hij volgt haar naar boven, naar de kunstkamer. Albert kijkt vol interesse naar de enorme schilden van schildpadden. Naar de opgezette gordeldieren, de soms enorme schelpen en naar de bijzondere stenen, bustes en speren, en ook naar de heel oude boeken waarin meester Rembrandt prenten bewaart van andere kunstenaars.

'Hier,' zegt Cornelia en ze geeft hem een kledingstuk. Ze kijkt hem niet aan, ze kijkt naar een plek onder zijn kin. Ook hij probeert naar een plek onder haar kin te kijken, maar dan ziet hij het schilderij van beneden, van het meisje met de blote borst, weer voor zich en hij stapt opeens achteruit.

Ze buigt zich voorover om nog wat kleding op te pakken en snel buigt hij mee om er eerder te zijn, om het tillen voor haar te doen. Verrast pakt ze het kledingstuk stevig vast, tilt het op en geeft het aan hem.

Hij tilt de kleding hoog boven de grond. Waarschijnlijk ziet hij er belachelijk uit, want ze giechelt opeens. Albert voelt zijn hoofd weer warm worden. 'Wat is er?' vraagt hij.

'Niets,' zegt ze.

'Waarom lach je dan?'

De lach verdwijnt meteen van haar gezicht, wat Albert jammer vindt omdat een lach haar zo goed staat. 'Je hebt het al twee keer voor mij opgenomen.'

Hij knikt en houdt de kleding nog wat hoger, zodat zijn gezicht minder zichtbaar is.

'Waarom?'

Albert haalt zijn schouders op. 'Gewoon.'

Ze lacht weer breeduit en veegt een lok haar achter haar oor.

Albert kucht. 'Ik moet jou ook wat vragen, Cornelia.'

'O ja?' Ze komt iets dichter bij hem staan. Ze ruikt naar appels.

'Ja, ik wilde je dus vragen...' Hij stokt, houdt de kleding helemaal recht voor zijn gezicht.

'Ja?' Haar stem klinkt dichtbij, zacht.

Albert haalt diep adem. 'Hoe zou ik op het schilderij van je meester kunnen komen? Dat is mijn diepste wens.'

Hij laat de kleding iets zakken en kijkt naar haar gezicht. Ziet hij teleurstelling? Waarover?

In ieder geval zakt die snel weg, ze kijkt nu weer als een dienstmeid.

'Je moet lid zijn van de schutterij en je moet in ieder geval honderd gulden betalen.'

Albert laat de kleding zakken. 'Honderd gulden?'

'Jouw meester betaalt zeker het dubbele. Hij komt vooraan te staan, goed zichtbaar.'

Nu begrijpt Albert nog beter waarom zijn meester zo boos was over de ontvangst van meester Rembrandt, laatst. Meer dan tweehonderd gulden! En dan zo lang moeten wachten!

Maar hij begrijpt tegelijkertijd ook dat het hem niet gaat lukken. Nooit. Hij weet niet of en hoe hij lid kan worden van de schutterij, maar zelfs als dat mogelijk was... Tweehonderd gulden! Zoveel geld zal hij nooit bezitten en als dat wel zo was, dan kocht hij er een bescheiden huisje van, of hij zou bij de dikke timmerman betaald in de leer gaan. In ieder geval zou hij er nooit een portret van zichzelf van laten maken.

Hij zal dus niet op het schilderij van meester Rembrandt komen, terwijl het toch zo'n geweldig goed idee was. Albert denkt aan zijn moeder. Aan haar sterfbed.

'Duurt het nog lang?' roept zijn meester van beneden.

'Hooghouden,' zegt Cornelia, en ze duwt Alberts armen omhoog.

Als vanzelf had hij ze laten zakken.

Hooghouden, ja natuurlijk, denkt hij. Ik zal de nagedachtenis van mijn moeder hooghouden, ik geef het nog niet op. Ik zal de kleding van mijn meester hooghouden, want hij heeft veel geld betaald om er mooi op te komen, dat verdient hij.

'Wat is er vandaag toch met je?' vraagt zijn meester als Albert met de armen vol kleding de kamer in komt. 'Je ziet er zo anders uit dan normaal.'

'Niets, heer,' zegt Albert. Hij pakt een willekeurig kledingstuk van de stapel en zegt: 'Dit lijkt mij mooi.'

Luitenant Van Ruytenburch houdt het omhoog en humt. Het is een rijkversierd geel bovenstuk met een bijpassende sjerp en broek.

Albert doet zijn uiterste best zijn meester zo rustig en netjes mogelijk in de kledingstukken te helpen. Als hij alles aan heeft, trekt meester Van Ruytenburch ontevreden aan de mouwen. 'Die plooien, dat is toch niet mooi.' Hij buigt zich en bekijkt zijn broek. 'Hier ook al. Ze hebben niet eens een behoorlijke spiegel. En die kleur, dat is toch geen kleur, het lijkt wel pis. Stel je voor dat het nageslacht denkt dat ik mijn pis niet kon ophouden! Stel je voor dat ik voor de eeuwigheid bekend kom te staan als een... ik bedoel: ik betaal, ik ben de klant, de klant is koning, dus ik wil eruitzien als een koning, ik wil... waarom heb je precies het meest afzichtelijke kledingstuk gekozen? Ik had nooit naar je moeten luisteren, ik had kunnen weten dat jij...'

Cornelia kucht achter de deur. 'Meester Rembrandt verwacht u.'

Luitenant Van Ruytenburch laat zich door Cornelia naar boven begeleiden. Albert weet niet zeker wat er van hem wordt verwacht. Moet hij beneden in de gang wachten of in de keuken? Of moet hij mee naar boven om zijn meester verder te helpen en diens wensen te vervullen? Hij loopt aarzelend mee.

'U ziet er prachtig uit, goede keuze, de juiste kleur,' zei meester Rembrandt.

Luitenant Van Ruytenburch gromt zacht.

'Als u hier nu eens gaat staan,' zegt meester Rembrandt.

Hij plaatst hem in het verlengde van het achterste raam, net voorbij de witte doek aan het plafond die voor zacht gefilterd licht zorgt.

Meester Rembrandt loopt terug naar zijn schilderszel, een enorm houten ding, met breed uitstaande poten en een smalle bovenkant. Hij zet zijn voet op de stoel met de donkerrode bekleding en kijkt naar zijn model, de heer Van Ruytenburch, luitenant Van Ruytenburch.

Albert staat weer tegen de muur geleund, op een plek waar houten planken aan de muur zijn vastgemaakt waarop gipsafgietsels staan.

Hij durft niet naar Cornelia te kijken, die weer tegenover hem staat. Dus staart hij naar de smalle, gietijzeren potkachel en kijkt maar af en toe naar haar. Maar steeds als hij kijkt, kijkt zij terug. Altijd.

Meester Rembrandt zet enkele snelle lijnen. Het is doodstil in de ruimte. Albert denkt aan de modellen die meester Rembrandt allemaal geschilderd heeft. Misschien vindt hij zijn meester wel geen mooi model. Hij is natuurlijk de mooiste vrouwen gewend. Bloot.

Albert krijgt het erg warm en kucht.

Meester Rembrandt kijkt op en loopt naar Albert toe.

Hij bekijkt het gezicht van Albert vol interesse, maar Albert zorgt ervoor dat meester Rembrandt hem niet in de ogen kan kijken, want hij weet zeker dat de schilder dan zal kunnen zien waar hij net aan dacht.

'Ja,' zegt meester Rembrandt.

'Leidt mijn jonge knecht u af?' vraagt luitenant Van Ruytenburch, terwijl hij zijn irritatie probeert te bedwingen.

'Allerminst,' antwoordt Rembrandt.

'Want dan moet u het mij zeggen,' zegt Van Ruytenburch, 'hij kan soms zeer onbeschaamd kijken, dat heb ik er nog niet uit na zo veel weken.'

'Uw knecht,' zegt meester Rembrandt, 'daar is iets mee.'

'Ja,' beaamt Alberts meester, 'ik krijg het er nog wel uit!'

Meester Rembrandt loopt terug naar zijn schilderezel, kijkt weer intensief naar luitenant Van Ruytenburch en schetst.

De tijd verstrijkt langzaam.

Nog eenmaal durft Albert naar Cornelia te kijken en ze kijkt hem ook aan. In de korte trilling die het kruisen van hun blikken teweegbrengt, weet hij zeker dat hij haar wil kussen. Sterker nog: dat hij haar gaat kussen, als hij durft.

Hoofdstuk achttien

'Witta, geef poot,' zegt Albert, en hij voelt in het aardedonker de poot van Witta tegen zijn arm. 'Braaf!'

Hij breekt een heel klein stukje van de zwarte broodkorst af en legt het op zijn vlakke hand; die steekt hij naar voren en met een vliegensvlugge, heel precieze hap is het weg en doorgeslikt.

Albert grinnikt. 'Witta, rol.' Hij steekt zijn handen vooruit en voelt de omhooggestoken poten van de hond.

Weer breekt hij een heel klein stukje brood af.

Hij telt mee met de langzame slagen van de kerkklok. Twee uur. Het is twee uur in de nacht. Hij weet wel dat het slapen niet wil lukken, dat er te veel door zijn hoofd spookt, maar dat het nu al zo laat is...

Zijn meester begon op weg naar huis vreselijk te schreeuwen. 'Ik ben beter behandeld dan de vorige keer, maar veel slechter kon het ook niet. Mijn kleding, de troep die jij uitkoos, maakt mij veel te plomp, ze flatteert niet.'

Thuis bleef hij onafgebroken praten en mopperen. Albert hoorde hem zeggen: 'Ik bepaal de compositie, ik bepaal de compositie. De duivel. Wat denkt hij wel?'

Hij dronk de ene brandewijn na de andere terwijl hij doormopperde.

Op een gegeven moment moest Albert komen.

'Knecht,' zei hij en hij keek Albert lodderig aan, 'buk je.'

Zijn meester wilde hem een oorvijg geven. Albert bukte, zijn meester leunde naar voren en viel op de grond. Daar bleef hij liggen. Hij leek in slaap gevallen. Albert stond op en liep weg, maar niet voordat hij de brandewijnkruik vlak naast zijn meester had gezet. Zijn meester riep Albert achterna dat hij een niksnut was, een zielig wezen, een wees die op verkeerde momenten aandacht vroeg. Albert besloot een beetje uit de buurt te blijven. Er zat nog genoeg brandewijn in de kruik, meneer Van Ruytenburch viel vast snel in slaap…

'Je bent een lieve hond, Witta,' zegt Albert en hij aait haar. 'Ik weet dat je honger hebt, ik zal morgen proberen wat meer eten voor je te bewaren. Misschien blijven er wat extra restjes over van de maaltijd.' Albert gaapt, het is al laat. Hij gaat weer liggen en sluit zijn ogen.

In gedachten ziet hij Cornelia, de blote borst op het schilderij bij meester Rembrandt, de lippen van Cornelia. En hij hoort haar weer zeggen dat het honderd gulden kost om op het schilderij te komen waar meester Rembrandt mee bezig is.

Witta duwt haar poot tegen zijn arm en piept. Albert gaat een beetje rechtop zitten, pakt het overgebleven stukje korst en zegt: 'Zit.' Meteen voelt hij dat ze gaat zitten. Hij glimlacht. Ze is lief, ze leert snel, ze doet eigenlijk alles, als je haar maar beloont.

'Het is op, brave hond,' zegt hij en hij aait Witta stevig. Hij hoort de staart van Witta vrolijk tegen de vochtige grond slaan.

Ik moet proberen wat te slapen, denkt Albert en hij gaat weer liggen. Het wordt morgen opnieuw een drukke dag.

Witta kruipt tegen hem aan. Terwijl hij in slaap valt, denkt

Albert steeds hetzelfde: alles doen, belonen, alles doen, belonen.

'Komen!' hoort Albert en hij schiet overeind. Het is licht. De laatste gedachte van gisteravond schiet in zijn hoofd: alles doen. Vliegensvlug kruipt hij naar buiten, rent naar binnen, klopt ondertussen zijn kleding af en trekt zijn vriendelijkste glimlach.

'Ik zal meteen warm water voor u maken, heer,' zegt Albert. Hij houdt zijn ogen naar beneden gericht, buigt zijn hoofd alsof hij nu al wat verkeerd heeft gedaan en wacht.

'Mmm,' zegt luitenant Van Ruytenburch, 'als je maar opschiet.'

Albert knikt, zegt voor de zekerheid ook nog 'Ja, heer' en loopt naar achteren met zijn gezicht naar zijn meester toe; pas als hij de deur voelt, draait hij zich om en schiet de gang in.

Hij ziet het verbaasde gezicht van zijn meester niet.

In de keuken steekt Albert het vuur aan. Daarna maakt hij in de kamer van zijn meester ook de potkachel aan. Meteen rent hij terug naar de keuken, pompt water op, vult de ketel, hangt die boven het vuur en rent weer terug naar de kamer van zijn meester om diens handdoek en zeep klaar te leggen. Precies zoals zijn meester het graag heeft: de handdoek eerst en de zeep erbovenop.

In de keuken haalt hij het water op tijd van het vuur en vult de kan.

Met zijn volle aandacht en concentratie brengt hij de kan naar zijn meester. Gewoontegetrouw kijkt luitenant Van Ruytenburch de gang in om te zien hoeveel water zijn knecht nu weer verspild heeft. Hij loopt naar de tafel waaraan hij zich gaat wassen.

'Ik zal meteen honingdrank voor u maken, heer,' zegt Albert en hij loopt weer naar achteren, met zijn gezicht naar zijn meester toe.

'Mmm,' zegt Alberts meester, 'ik geloof dat mijn harde hand eindelijk vruchten begint af te werpen. Dat je eindelijk weet wie hier de baas is. Dat je eindelijk bereid bent je taken naar behoren uit te voeren. Ik wist het wel: zo'n zachte aanpak, vol begrip voor je dode moeder, is niet goed; zachte heelmeesters maken stinkende wonden! Kom hier.'

Albert doet een paar stappen naar voren. Zijn meester merkt dus het verschil!

'Nog dichter,' zegt zijn meester.

Meteen daarop lijkt het oor van Albert in brand te staan.

'Die heb je verdiend omdat je je niet al veel eerder zo gedroeg. Vergeet niet wat je net hebt geleerd, want je kunt het dus wel!'

Albert glimlacht door zijn tranen heen naar zijn meester. 'Dank u voor deze les,' zegt hij.

'Vort,' zegt zijn meester en hij kijkt behoorlijk vrolijk.

'Ik kan maar heel even blijven,' hijgt Albert als hij de timmerwerkplaats van Paulus met volle handen binnenkomt. 'Ik heb zo ontzettend veel te doen!'

'Die slavendrijver!' bromt Paulus.

'Nee, nee, ik wil het zelf,' zegt Albert vrolijk.

Paulus stopt wat spijkers in zijn mond en slaat ze vakkundig een voor een in de zijkant van een kastje. 'Mmwaom?'

Albert aarzelt, zal hij Paulus in vertrouwen nemen? 'Waar is uw knecht?'

'Ejenje.'

'Wat zegt u?'

Paulus haalt de overgebleven spijkers uit zijn mond. 'Ellende,' zegt hij, 'ik heb 'm vanmorgen vroeg laten gaan. Die pikte het niet op.'

Paulus pakt een grove plank en haalt er vlot een strook van ongeveer vijf centimeter vanaf, schuurt de strook glad op, pakt een stuk gereedschap en maakt op gelijke afstand kleine deuken met een punt naar beneden, een soort druppels.

'Nu jij,' zegt Paulus.

'Ik moet gaan,' zegt Albert en hij kijkt naar de openstaande deur van de werkplaats.

'Even, dan laat ik je meteen gaan.'

Albert doet de handelingen van Paulus na en geeft het stuk hout terug.

Paulus fluit bewonderend tussen zijn tanden. 'Netjes! Als je ouders mij betaalden, kon je zo bij mij in de leer komen!'

Hij ziet het gezicht van Albert betrekken.

'Sorry, knul.' Hij grijpt achter zich en laat een scheef stuk plank zien met onregelmatige gaten. 'Zo deed die knecht 't. Hij was bang voor het gereedschap.'

Albert glimlacht.

'Je moet willen werken met dit gereedschap, de beitels, hamer, winkelhaak, duimstok, het schietlood,' zegt Paulus, 'maar het gereedschap moet worden aangestuurd door je hoofd, je denkkracht. Een goede timmerman is nooit dom.'

Albert knikt. Dit gelooft hij meteen.

'Wat ga je allemaal doen?'

'Alles,' zegt Albert, 'en goed.'

'Weet je, ik breng je weer weg met de kruiwagen, net als laatst, dan ben je lekker snel terug en hoef je al die spullen niet zelf te tillen!'

Albert zegt geen nee tegen het aanbod en even later gilt hij weer als ze in volle vaart door de smalle stegen rijden.

Ze nemen op dezelfde plek afscheid als de vorige keer, vlak bij de brandewijnkoopman, en vol goede moed gaat Albert het huis binnen.

Hij heeft nog geen fouten gemaakt vandaag, en hij wil ze niet maken ook.

Met zijn armen vol spullen komt hij terug in het Blauwe Huys. Hij legt alles keurig weg en zet daarna alle laarzen van zijn meester voor zich op de grond neer. Er komt een enorm smerige geur vanaf.

Snel opent Albert de doos met het schoenvet en ademt diep de dierlijke geur in. Hij duwt de oude doek diep in het vet en pakt het eerste paar laarzen. Wrijft vol zorg het vet over het leer uit en wrijft tot het glanst, dan doopt hij de doek opnieuw erin en herhaalt alles op een andere plek. Hij poetst tot alle laarzen glanzen. Hij probeert niet aan iets anders te denken – aan de schoenen van zijn moeder bijvoorbeeld.

Dan komt zijn meester de ruimte binnen en zegt: 'Je moet je nodig eens wassen, je stinkt!' Albert weet dat niet hij zo stinkt, maar zegt natuurlijk niks. Zeker vandaag niet.

'Heb jij dit uit jezelf gedaan?' vraagt zijn meester.

Albert knikt.

Die avond staat Albert al vroeg en zenuwachtig achter de deur van het woonvertrek van luitenant Van Ruytenburch.

Is zijn meester zo goedgehumeurd als nodig is? Albert pakt de deurklink vast en voelt dat zowel zijn hand als de deurklink vochtig zijn. Hij is minstens zo zenuwachtig als toen hij onverwacht ceremoniemeester werd van de lepraloterij. Maar nu is het veel belangrijker.

Nog even zijn vraag oefenen, denkt Albert.

'Wilt u, o edele heer, een belangrijke zaak van mij ter uwer harte nemen? Bent u bereid, hoogwaardige persoon, om voor mij een plaats te kopen op het schilderij van meester Rembrandt?'

Achter de deur hoort Albert zijn meester boeren en slurpen en zoals altijd in zichzelf praten: 'Meer oorvijgen had ik die duivel moeten geven! Meteen al vanaf dag een. Ik wist het wel! Hard lopen kan hij best, als hij maar wil. Nou moet ik die meester Rembrandt eens wat harder laten werken. Dat gaat allemaal veel te traag. Misschien dat bij hem een oorvijg ook zal werken? Haha! Wie weet!'

Albert hoort dat hij een harde scheet laat.

'O, zeer hoogedele heer,' zegt Albert zacht. Heeft hij alles goed gedaan vandaag? Is er niks waarover zijn meester zou kunnen beginnen? Hij gaat de werkzaamheden in zijn hoofd af. Daarna gaat hij zijn argumenten nog eens langs. Dat zijn meester afgebeeld met zijn knecht nog belangrijker wordt op het doek, dat zijn meester het geld kan missen, omdat hij zo rijk is, dat meester Rembrandt hem dan met nog meer respect zal behandelen. Albert voelt zich bijna echt de advocaat die hij ooit wilde worden.

'Komen!' schreeuwt zijn meester en Albert vliegt een halve meter de lucht in en opent meteen de deur.

'Dat is snel,' zegt zijn meester, 'haal brandewijn!'

Albert rent al. Hij weet dat hij niet langer moet aarzelen. Over een paar minuten zal zijn meester al een beetje veranderen en over een half uur is hij echt niet meer zichzelf.

Met de kruik brandewijn in zijn handen rent Albert terug. Hij schenkt een kroes vol, zo ver het gaat zonder te morsen, en zet de kruik naast zijn meester neer.

Meteen pakt zijn meester de kroes op en slaat het vocht achterover. Hij begint te hoesten, vanwege het branden in zijn keel.

Nu, denkt Albert en hij schraapt zijn keel.

'O, zeer weledele heer,' mompelt hij, en iets harder vervolgt hij: 'Ik wil u wat vragen.'

Dan voelt Albert iets langs zijn voeten bewegen.

Het is Witta, ze is uit het kot gekomen. Misschien had ze te veel honger of miste ze hem.

Maar wat het ook is, ze staat hier aan zijn voeten en kijkt hem met kwispelende staart hoopvol aan.

'Wat is dat voor een goor mormel?' schreeuwt Alberts meester. Hij staat op en schopt in de richting van Witta. Witta trekt haar bovenlip op en gromt. Dat maakt zijn meester nog kwader. Die schopt harder en wilder naar Witta, totdat hij haar raakt en ze piept en jankt.

Dan pakt zijn meester Witta bij de halsband en trekt er zo hard aan dat de ogen van het dier uitpuilen. Op die manier sleept hij haar mee naar buiten, geeft haar op enkele passen van het Blauwe Huys weer een enorme schop en schreeuwt: 'Wegwezen! Laat ik je nooit meer zien, vuil beest!'

Het gaat zo snel, dat Albert geen tijd heeft om iets te bedenken om haar te helpen. Het is alweer voorbij als hij bij zinnen komt.

Wat moet dat pijn gedaan hebben! Hoe komt het dat Witta hem precies nu op wilde zoeken? Waar zou ze nu zijn?

'Wat sta je daar nou dom te kijken, jongen,' briest zijn meester, 'heb je niks beters te doen?'

'Ja, heer,' zegt Albert. Hij loopt weg en denkt aan de woorden van de timmerman over zijn meester. De klap op zijn hart. 'Daar zit het niet goed bij hem.'

Het is maar goed dat hij zijn vraag niet gesteld heeft, Van Ruytenburch zou het vast niet hebben gedaan. Waarom ook wel? Hoe kon hij ooit denken dat zijn meester dat zou willen doen? Zijn meester is niet dom; hij zal hem nooit een beloning geven, ook al doet Albert alles voor hem. Albert krijgt dat bij Witta voor elkaar: zij doet alles wat hij vraagt en hij beloont haar. Maar Witta is een hond, zijn meester niet. En zelf is Albert ook niet meer dan een hond. Hij heeft Witta niet eens kunnen beschermen toen ze hem nodig had.

Hij roept zacht: 'Witta.' En spiedt om zich heen. Hier ergens liet zijn meester haar toch gaan?

Hij loopt een hele tijd rond, zoekt en speurt, terwijl hij zacht roept: 'Witta.'

Maar Witta komt niet tevoorschijn. Albert loopt naar het kot en roept. Er komt geen geluid. Verslagen kruipt hij het kot in. Hij is opeens zo moe. Vannacht had hij al bijna niet geslapen, en vandaag heeft hij zo hard gewerkt om zijn belofte na te komen, maar alles is mislukt.

Albert rilt. Hij maakt zich zo klein mogelijk: een klein bolletje in een vies kot. Alles is mislukt. Niemand denkt aan hem, niemand zal hem ooit missen. Hij heeft het ontzettend koud.

Heel vroeg in de morgen hoort hij iets. Albert opent een oog en ziet Witta door het gat het kot in komen. Witta kwispelt hoopvol.

Albert klopt alleen maar op de grond naast zich. De hond laat zich zuchtend tegen hem aan vallen.

Hoofdstuk negentien

Albert kruipt uit het hok en ziet Cornelia. Hij knippert met zijn ogen, hij droomt toch niet?

Ze ziet er weer prachtig uit met haar lange, blonde haar in het vroege ochtendlicht. Hij wil haar vreselijk graag kussen, maar dat kan hij natuurlijk niet zomaar doen. Hij weet niet eens zeker of zij hem ook leuk vindt.

'Wat deed je daar?' vraagt ze.

'Slapen,' zegt Albert.

Ze loopt ernaartoe en trekt haar neus op.

'Daarom stink je soms zo,' zegt ze. 'Heb je geen eigen kamer?'

'Jawel, maar hier slaap ik niet alleen en binnen moet dat wel,' zegt Albert en hij knipoogt naar haar.

Cornelia bloost hevig.

En als Albert bedacht heeft waarom zij zo bloost, krijgt ook hij het erg warm.

'Ik slaap daar niet samen met een eh...' zegt hij, 'ik slaap daar samen met een hond.'

'Een hond?'

Hij wenkt Cornelia naar de achterkant van het kot, bukt zich bij de opening en fluistert 'Witta!' Even later verschijnt Witta.

'O, wat een schatje,' zegt Cornelia en ze bukt zich om Witta te aaien en zich te laten likken.

'Geef poot,' zegt Albert.

En meteen geeft Witta een poot.

'Zit!' zegt Albert trots, en Witta stelt hem niet teleur.

'Ze luistert, ze kan kunstjes!' zegt Cornelia tegen Albert en tegen Witta: 'Wat ben jij een knappe hond, wat een lief beest!'

Albert vertelt wat Witta gisteren deed en hoe zijn meester toen reageerde.

'Daarom is mijn meester niet zo dol op uw meester,' zegt Cornelia.

Daarom is mijn meesters knecht wel dol op u, wil Albert zeggen, maar hij zegt niks natuurlijk.

Hij duwt Witta terug het kot in, zo goed en zo kwaad als dat gaat.

Weer iemand die niet zo dol is op zijn meester. Albert bedenkt iets om hem toch te verdedigen, maar er schiet hem niets te binnen.

'Hoe is het om voor meester Rembrandt te werken?'

'Er is genoeg werk, er is altijd veel volk,' zegt Cornelia.

'Ik bedoel, hoe is het echt?'

Cornelia lacht en Albert slurpt haar lach op als zonlicht. 'Jij laat je niet makkelijk afschepen, hè?'

Albert lacht en wacht.

'Ik heb het goed bij meester Rembrandt. Hij is wel onberekenbaar, een echte kunstenaar, maar het is een goed mens. Hij vindt dat er tijd moet zijn om te werken en tijd om te rusten en plezier te maken, ook voor zijn personeel.'

'Zal ik je aankondigen?'

'Ja,' zegt Cornelia, 'meester Rembrandt wil haast maken met de schetsen van jouw heer en een afspraak maken met alle schutters voor de bezichtiging van de compositie.'

'Is het al klaar dan?'

Cornelia haalt haar schouders op. 'Op dit moment is meester Rembrandt dag en nacht bezig met het schilderij. Het is een heel grote opdracht. Hij loopt tot vroeg in de morgen heen en weer in zijn atelier, praat hardop, schreeuwt, schetst soms als een bezetene en slaapt vaak heel even op de harde houten vloer van zijn atelier. Hij komt nauwelijks meer naast zijn zieke vrouw Saskia liggen, en al heeft zij daar verdriet van, ze accepteert het toch, ze accepteert alles. Na zo'n kort slaapje springt hij op en trekt aan zijn haren, stampt met zijn voeten en schetst, schetst. Ik word soms bang van hem, al weet ik dat het niet nodig is. Maar zijn ogen, ze kijken heel anders dan anders, ze zien de gewone wereld niet.'

Albert komt wat dichter bij Cornelia staan. Hij ruikt de geur van appels weer.

Hij merkt dat Cornelia het prettig vindt dat hij dichtbij staat, ze leunt heel licht tegen hem aan.

'Ik moet hem dringend spreken,' zegt Albert tot zijn eigen verbazing.

'Jij?'

Albert knikt. 'Voor hij klaar is met de compositie wil ik hem iets vragen, iets dringends.'

'Wat dan?'

'Dat kan ik alleen met hem bespreken.'

'Ik sta er straks bij.'

Ze kijkt hem aan met haar heldere ogen, vlak bij hem.

Albert buigt zich naar haar toe. Ze leunt wat meer tegen hem aan. Op het laatste ogenblik buigt Albert door naar voren en prutst wat aan zijn schoen.

Dan loopt hij voor haar uit het huis in. Huppelend bijna. Hij durfde het net niet te doen, maar hij voelt zich toch heel licht.

Vlak voor hij het leefvertrek van zijn meester wil openen, trekt

Cornelia hem aan zijn mouw. 'Zorg dat je er meteen na het middageten bent, dan laat ik je binnen.'

Voor hij Cornelia aankondigt, zegt Albert tegen haar: 'Wees nederig, beleefd en doe dat heel overdreven, mijn meester is gespannen voor het poseren, hij drinkt nog meer dan anders en praat steeds hardop over zijn zenuwen.'

Cornelia kijkt Albert aan met een blik die hij niet kent. Ze heft haar hand, het lijkt alsof ze hem wil aanhalen, maar ergens in de lucht raakt haar hand de weg kwijt en valt terug, langs haar lichaam. 'Spijtig,' zegt ze.

Hoofdstuk twintig

Albert wil het samenzijn met Cornelia zo lang mogelijk laten duren, dus hij talmt in de ontvangsthal, kijkt schichtig nu eens naar de naakten en dan weer naar Cornelia, en hij hoopt dat hem een goede vraag te binnen zal schieten. Of iets anders, waardoor hij haar kan laten lachen. Maar het blijft stil in zijn hoofd en hij volgt Cornelia naar het atelier van meester Rembrandt.

'Ah, de jonge knecht van luitenant Van Ruytenburch, mijn belangrijke opdrachtgever. Wat brengt je hier, mijn jongen, wensen van je meester?'

Rembrandt kijkt Albert aan, en deze ziet niet de intense ogen die hij verwachtte, maar eerder een afwezige blik. Meester Rembrandt lijkt hem nauwelijks te zien. Albert kijkt om zich heen. Net als eerder valt het hem op dat het licht in deze ruimte zo mooi is.

'Nee, heer,' zegt Albert, 'ik kom hier voor mijzelf.' Hij had verwacht dat hij net zo zenuwachtig zou zijn als laatst, toen hij zijn meester om hulp wilde vragen, maar dat niet kon, omdat Witta binnen kwam stormen. Nu is hij echter op een heel aparte manier rustig. Hij weet wat hij wil.

'Je komt voor jezelf,' herhaalt meester Rembrandt. Hij lijkt er niet helemaal bij met zijn gedachten.

'Ja,' zegt Albert, 'mijn moeder is bijna zeven weken geleden gestorven. Ik heb op haar sterfbed iets aan haar beloofd. U kunt mij helpen mijn belofte na te komen.'

Meester Rembrandt staat drie passen van hem vandaan en kijkt naar de houten vloer. Hij beweegt niet, hij zegt niets. Het lijkt alsof hij niet drie passen, maar wel duizend mijl van Albert verwijderd is. Albert kijkt naar Cornelia. Haar ogen zeggen iets, maar hij weet niet wat.

'Toen mijn moeder doodging vond ze het zo jammer dat ze niks achterliet, dat ze vergeten zou worden. Ze wilde dat ik niet vergeten zou worden, nooit. Ik heb beloofd dat ik daarvoor zou zorgen. Dus dacht ik...' Albert weet dat hij het nu moet zeggen omdat hij het anders nooit meer durft. Maar hij denkt dat dit niet het juiste moment is, want meester Rembrandt lijkt hem gewoon niet te horen.

'Ik dacht... u bent bezig met dat grote schilderij, daar zullen vast veel mensen naar gaan kijken, nu en in de toekomst, omdat er veel belangrijke personen op staan. Niemand zal het snel weggooien, dus het blijft waarschijnlijk wel altijd bestaan, dus als ik... als ik nou ook eens op dit schilderij zou kunnen komen... dan zien mensen nu en in de toekomst mij... dan zal ik niet vergeten worden en dan ben ik de belofte aan mijn moeder nagekomen en dat is... fijn.' Hij zucht, een trillende zucht. Het is eruit. Hij heeft het gezegd.

Even kijkt hij naar Cornelia, ze kijkt terug, haar ogen lijken een soort meren, vochtig.

Snel kijkt Albert naar de grond, hij wacht.

Hij is gewend te wachten op wat er gaat komen, op wat er gebeurt. Hij is zo klein, niet alleen echt klein van lijf en leden, maar ook klein in het leven, wat kan hij doen om dingen te veranderen?

Om het zo te laten lopen als hij wenst? Niks.

Anderen bepalen het. En nu, terwijl hij wacht tot meester Rembrandt in al zijn wijsheid besluit wat hij op deze voor Albert enorm belangrijke vraag wil antwoorden, voelt hij dat weer eens heel duidelijk. Hij wacht.

Meester Rembrandt staat helemaal stil – het lijkt wel alsof hij niet echt in deze ruimte is. Albert probeert zich voor te stellen waar meester Rembrandt wel kan zijn met zijn geest. Dat is moeilijk.

Hij kijkt naar meester Rembrandt, die daar nog steeds staat, maar nu vermoeid met zijn handen over zijn gezicht wrijft. Albert begrijpt hem. Even.

'Onsterfelijk zijn,' zegt meester Rembrandt, 'dat wil iedereen.'

Hij kijkt naar Albert, zijn ogen nog steeds naar binnen gericht. 'Heb je geld?'

Albert schudt zijn hoofd.

Meester Rembrandt houdt met zijn rechterhand zijn kin vast, alsof hij denkt. Maar hij ziet er ook uit alsof hij versteend is of bevroren. Of hij niet kan bewegen, vastzit.

Albert kan niks anders doen dan wachten.

Als Albert na een hele tijd naar de deur sluipt, hij moet terug naar het Blauwe Huys om zijn meester te helpen voor diens vertrek naar hier, naar dit atelier, kijkt meester Rembrandt op en zegt: 'Ik bepaal de compositie.'

Albert knikt, maar hij weet niet wat het betekent.

112

Hoofdstuk eenentwintig

'Ik dacht dat je van de aardbodem verdwenen was!' zegt Paulus als Albert de werkplaats binnenstapt. 'Ik had mij net voorgenomen: als ik hem deze week niet zie, ga ik aanbellen bij het Blauwe Huys, dan ga ik daar naar je vragen!'

'Zou u dat echt durven?' vraagt Albert. Hij ademt diep in, die verse houtlucht gaat nooit vervelen.

'Durven?' Paulus laat even zijn armspieren zien en lacht luid. Albert lacht niet en de dikke timmerman kijkt hem wat langer aan.

'Wat is er, jong?'

'Niks,' zegt Albert. Hij draait zijn gezicht weg en voelt het branden.

De timmerman legt zijn werk neer en pakt het gezicht van Albert vast, draait het in zijn richting. 'Hoe komt dat?' vraagt hij en hij wijst naar Alberts linkeroog.

'O, ergens tegenaan gelopen,' probeert Albert luchtig.

'Tegen de harde vuisten van je meester, zeker,' zegt Paulus en hij bijt zijn lippen strak op elkaar.

'Meester Van Ruytenburch is erg gespannen,' zegt Albert, 'morgen komt de hele schutterij bij elkaar in het atelier van meester Rembrandt om de compositie te bekijken. Mijn meester moest nog een paar keer poseren en hij vindt dat ik meester Rembrandt afleid. Hij vindt dat ik te veel kijk naar Cornelia, de dienstmeid van meester Rembrandt, hij vindt dat ik lui ben en dom en...'

'Wat vind je zelf?'

'Ik?' Albert denkt na. Dat vraagt de laatste tijd niemand meer aan hem... en waarom zouden ze ook. 'Ik kijk wel veel naar Cornelia,' geeft Albert toe, 'ze is mooi en lief en ik denk dat ze mij ook leuk vindt. Dat poseren van mijn meester duurt... lang en we staan daar alle twee maar te wachten, dus kijk ik naar haar. En zij naar mij. We hebben een keer samen met Witta gewandeld, heel even maar, toen moesten we alle twee naar dezelfde koopman voor brandewijn.'

'Zie je,' bromt Paulus, 'je bent veel te lang niet geweest, je bent verliefd geworden zonder dat ik het wist. En wie is Witta?'

Albert wil zeggen dat hij niet verliefd is, maar dan weet hij meteen dat hij dat niet kán zeggen, want Paulus heeft gelijk. Maar hij weet het nu pas. Hij is verliefd! Op Cornelia. Hij is écht dom, zoals zijn meester steeds zegt.

'Witta is een hond, een witte hond,' zegt Albert.

'Jouw hond?'

Weer denkt Albert na. Hij vindt dat altijd het leuke van langs-gaan bij dikke Paulus. Die zegt en vraagt altijd dingen die andere mensen niet zeggen of vragen.

'Ja,' zegt Albert, 'mijn hond.'

'En hier? Hoe gaat alles hier?' vraagt hij dan.

'Goed en druk,' zegt Paulus.

Albert loopt naar een partij hout en aait de nerven. 'Heb je weer nieuw hout?'

'Voor een bedstee, voor Aertszoon van der Heede,' zegt dikke Paulus, 'op het Damrak. Ik geloof dat die ook op dat grote schil-derij van meester Rembrandt komt te staan. De hele stad is ermee bezig, zo lijkt het. Wat een overdreven gedoe voor een schilde-rij. Het is maar gewoon een plat ding in een lijst. Alsof dat meer waard is dan een handgemaakte kast of bed. Daar kun je niet alleen met plezier naar kijken, maar ook met plezier wat in hangen of op liggen.'

Albert zegt niet dat hij meneer Aertszoon van der Heede kent. Dat hij de baas was van zijn vader en moeder, dat hij had gehoopt door hem te worden opgenomen nadat hij wees was geworden, maar dat de man hem niets te bieden had, zoals hij zei. Niets te bieden, omdat hij nu een nieuwe bedstee wilde.

'Ik moet weer gaan,' zegt Albert.

'Kun je mij nog even helpen?' vraagt Paulus. 'Er zijn een paar dingen die moeilijk gaan in je eentje, maar met z'n tweeën zijn ze zo klaar.'

'Tuurlijk,' zegt Albert.

Hoofdstuk tweeëntwintig

De deur van het huis van meester Rembrandt staat op een kier.
Vanuit de woning klinkt een enorm kabaal.

Luitenant Van Ruytenburch staat met Albert voor de deur stil.
Albert slaat met de klopper op de deur. Ze wachten. Er gebeurt
niks. De stemmen en het geroezemoes klinken bijna nog luider.

'Gewoon doorlopen, lijkt mij,' horen ze achter hen een deftige
stem zeggen. Ze draaien zich om en zien kapitein Frans Banninck
Cocq met zijn knecht.

'Kapitein!' zegt luitenant Van Ruytenburch enthousiast en hij
schudt de kapitein hartelijk de hand.

De kapitein wrijft in zijn handen. 'Ik ben zo benieuwd naar
wat meester Rembrandt heeft bedacht.'

'Krijgen we vandaag het schilderij te zien? Of dat nog niet?'
vraagt luitenant Van Ruytenburch.

'Nee,' zegt de kapitein beslist, 'meester Rembrandt geeft ons
zicht op het beoogde eindresultaat. Maar laten we naar binnen
gaan.'

Albert duwt de deur open en ziet hoe vol de benedenverdieping
is. Overal staan mensen, belangrijke mensen. Ze hebben zich mooi
aangekleed en gepoederd en geparfumeerd. Er wordt gelachen,
gepraat, er worden zaken gedaan en hij ziet Cornelia met een

hoogrode kleur af en aan rennen met wijn om ze te ontvangen.

Albert zoekt meester Rembrandt tussen al deze mensen, maar ziet hem niet.

Hij volgt zijn meester die een paar bekenden van de schutterij een hand wil geven.

'Hallo,' zegt luitenant Van Ruytenburch tegen koopman Aertszoon van der Heede, 'ik hoorde dat de zaken goed gaan.'

'Heel goed, ja, het zijn gouden tijden tegenwoordig,' zegt de koopman, 'ik heb zojuist een nieuwe bedstee besteld, de ouwe ligt niet meer zo goed. Als de nieuwe bevalt, laat ik al mijn bedsteden vervangen.'

Meneer Aertszoon van der Heede kijkt dwars door Albert heen. Terwijl Albert hem nog duidelijk ziet zitten bij zijn moeder en hem aan tafel, met het papier en de bedelpenning en de haring.

'Mooi, kerel, ik ben blij voor je,' zegt Van Ruytenburch.

'Hoe is het met jou?' vraagt de koopman op zijn beurt.

'Als advocaat heb je altijd werk,' zegt Van Ruytenburch, 'en verder gaat ook alles goed. Mijn vrouw en mijn moeder besteden veel tijd in het buitenhuis in Vlaardingen, daar is het rustig en de lucht is er fris. En als man geniet ik hier van mijn vrijheid, zo zonder vrouwelijke controle.'

De koopman lacht hard en de mannen kloppen elkaar stevig op de schouder.

Dan lopen ze verder en luitenant Van Ruytenburch steekt zijn hand uit naar een andere koopman, Walich Schellingwou. 'Kom je mij weer eens wat vaten wijn bezorgen?'

En daarna vraagt hij Rombout Kemp langs te komen met lakens en stoffen.

Als hij een klein rondje heeft gemaakt, gaat zijn meester naast kapitein Banninck Cocq staan.

'Haal eens wat te drinken voor ons,' zegt luitenant Van Ruytenburch en Albert vliegt weg.

Nu kan hij Cornelia eindelijk opzoeken en dat vindt hij helemaal niet erg.

Hij treft haar in de keuken. Daar is het een enorme chaos.
Overal liggen schalen, kommen en kroezen. Er staan overal flessen
en kannen voor straks. Er ligt veel gevogelte op tafel. Zeker zeven
kippen. Ze moeten nog geplukt worden.

Tussen dat alles staat Cornelia met verwilderde ogen, met een
hoogrode kleur, duidelijk niet opgewassen tegen deze taak.

Albert loopt naar haar toe. Hij kijkt in haar ogen. Dan aarzelt
hij niet langer, neemt haar in zijn armen en kust haar op haar
mond.

De kus duurt kort, maar ook eindeloos. Hij kan het niet uitleggen, maar zo voelt het. Als hij haar loslaat, wil hij haar eigenlijk
meteen weer vastpakken. Maar in de ruimte beneden klinkt de
harde stem van meester Rembrandt.

'Heren, heren, mag ik uw aandacht! De plannen zijn enigszins
gewijzigd.'

Langzaam wordt het stiller in het huis.

'U bent allen belangrijke heren. Drukbezet. Toch moet ik u vragen om morgen terug te komen. Daarvoor heb ik een goede reden
en die zal ik u geven.'

Je kunt nu een speld horen vallen.

'Een schande,' briest Van Ruytenburch op de terugweg naar het
Blauwe Huys, 'hij laat ons allemaal komen en stuurt ons gewoon
weer weg of we loopjongens zijn.'

Albert rent achter zijn meester aan. Die heeft enorme haast om
thuis te komen.

'Dan zegt hij doodleuk dat hij de compositie die hij had toch wil veranderen, dat hij eerst een soort proefopstelling wil maken om zijn creativiteit aan te wakkeren. Als die creativiteit nu nog niet wakker is, dan wordt ze dat ook niet meer! En of we allemaal willen komen in de kleding waarin we geposeerd hebben voor de schetsen. Waarom? Daar heeft hij toch al schetsen van? Of we onze complete wapenuitrusting mee willen brengen. We zijn toch geen lastdragers? En dat allemaal voor morgen! Alsof wij niks anders te doen hebben. Wat heeft hij al die tijd eigenlijk gedaan? Zeker alleen maar dat voorschot erdoorheen gejaagd! Ik heb hem wel door! Het is dat Banninck Cocq zo'n hoge pet van hem opheeft, anders had ik hem allang de laan uit gestuurd.'

In het Blauwe Huys blijft zijn meester maar mopperen. Albert haalt de kruik brandewijn. Hij schenkt gul in en hoopt dat zijn meester zichzelf snel in slaap drinkt en mompelt, zodat hij daarna snel naar het kot kan, naar Witta.

'Kom eens,' roept zijn meester.

Albert loopt langzaam naar hem toe.

'Je bent weer behoorlijk teruggevallen in je behulpzaamheid, die was eerst veel beter. Hoe komt dat?' Het licht van het vuur geeft het gezicht van zijn meester weer iets gevaarlijks, iets wreeds.

'Nou?'

'Ik weet het niet, meester.'

'Dat is het verkeerde antwoord.'

Albert klemt zijn kiezen op elkaar als hij krijgt wat hij vreesde: een vuistslag op zijn andere oog. Hij voelt het meteen kloppen. Toch voelt Albert zich vreemd genoeg goed. De pijn doet hem weinig.

Was het alvast maar morgen, denkt Albert als hij uiteindelijk tegen

Witta aan kruipt. Dan zie ik Cornelia weer. Misschien kan ik haar weer kussen.

Hoofdstuk drieëntwintig

'Heren, waarde heren,' roept Rembrandt, 'u lijkt werkelijk wel een stel kippen. Kunt u even stil zijn?' Meester Rembrandt klapt in zijn handen.

De mannen van de schutterij praten door – wel zachter, maar toch.

Meester Rembrandt springt op een tafel. De tafel wankelt. Albert schiet naar voren om de tafel en vooral meester Rembrandt voor vallen te behoeden.

'Dank je, knul,' zegt meester Rembrandt en hij geeft hem een knipoog.

Hij stampt hard op tafel, langzaam wordt iedereen in het atelier stil.

'Ik weet dat het vol is hier, en ik weet dat het spannend is,' zegt meester Rembrandt. Er klinkt gelach, een voorzichtige ontkenning. 'En ik weet dat u dat nooit zult toegeven.'

Nog harder gelach vult de ruimte. 'Maar we zijn hier vandaag niet bijeen om te praten en te lachen, maar om te poseren. Ik heb hier mijn eerste schets staan, zoals ik het nu voor ogen heb. Maar de opstelling is nog niet goed. Er zitten nog lege plekken in, de verhouding tussen alle spelers kan beter en ik moet nog over een paar dingen nadenken. Dat kan ik beter als u allen de plek inneemt die ik voor u in gedachten heb. Dat kan ik nog beter als u allen de kleding draagt die u aan had tijdens het schetsen en waarin ik u op het schilderij zie komen. En dat zal helemaal beter gaan als u de wapens die bij uw functies passen bij de hand houdt en ze draagt zoals u gewoon bent ze te dragen. En het zal echt lukken als u daarbij ook niet constant praat of vragen stelt. Ik wil zo dicht mogelijk bij perfectie komen.'

Kapitein Banninck Cocq stapt naar voren. 'Meester Rembrandt heeft onze opdracht aanvaard, een moeilijke opdracht: om voor onze eigen Doelenzaal een goed schuttersstuk te maken, een stuk dat de tand des tijds kan doorstaan, een groots stuk, niet alleen qua grootte maar ook qua uitstraling. Luitenant Van Ruytenburch en ik hebben meester Rembrandt gekozen en we hebben het volste vertrouwen in hem. Laten we dus doen wat hij vraagt.' Kapitein Banninck Cocq maakt een uitnodigend handgebaar naar luitenant Van Ruytenburch en die stapt naar voren om naast zijn kapitein plaats te nemen, vóór de manschappen.

Luitenant Van Ruytenburch knikt. 'Het volste vertrouwen,' zegt hij luid.

Albert kijkt met verbazing naar alles wat zich voor zijn neus afspeelt. De hele dag al kijkt hij zijn ogen uit, maar hij weet nu niet wat hij hoort, wat hij zijn meester zojuist heeft horen zeggen.

'Het is verstandig om al het personeel weg te sturen voor zover jullie dat nog niet hebben gedaan,' zegt kapitein Banninck Cocq, 'ze staan in de weg.'

Een enkele meid en knecht verlaat het atelier. Ook Albert draait zich om.

'Behalve m'n eigen meid Cornelia, die voor deze dag prachtig is uitgedost,' roept Rembrandt. 'Als iemand iets wil drinken, vraag het aan haar! En ook wil ik graag die jongeman...' – hij wijst op Albert – 'hier houden, want voor haar alleen is het te druk en ze

122

kunnen het samen goed vinden.'

Albert wordt knalrood en als hij opkijkt terwijl de manschappen joelen, ziet hij dat ook Cornelia niet wit meer is.

'Tenzij u het niet goed vindt,' zegt meester Rembrandt tegen luitenant Van Ruytenburch.

'Prima,' antwoordt die, maar hij kijkt stug.

'Goed, dan beginnen we aan de opstelling,' zegt meester Rembrandt. Hij gaat met zijn gezicht voor de manschappen staan en kijkt ze aan. Het wordt meteen weer helemaal stil.

'Achterin in het midden onder de poort wil ik hebben: Jan Corneliszoon Visscher, de vaandrig.' Onder applaus stapt de vaandrig trots naar voren.

'Er is geen poort,' roept iemand.

'In mijn hoofd wel en ik hoop straks ook in uw hoofd,' zegt meester Rembrandt. 'Rechts naast hem wil ik Claes van Cruysbergen hebben.' Een kleiner applaus klinkt en Claes van Cruysbergen gaat links naast Jan staan.

Meester Rembrandt schudt zijn hoofd. 'Ik bedoel rechts,' zegt hij, 'niet links.'

Albert kucht. Zijn meester wil boos uitvallen, dat ziet Albert duidelijk, maar hij houdt zich in wanneer meester Rembrandt hem vriendelijk aankijkt.

'Wat voor u rechts is, is voor ons links,' zegt Van Ruytenburch zacht, 'omdat wij hier staan en u daar.'

'Je bent slim of je bent het niet,' zegt Rembrandt. 'Als iedereen naast mij komt staan, aan mijn kant, dan bezien we het geheel op dezelfde manier.' De mannen komen in beweging.

'Dan wil ik Jan Ockers naast Claes hebben.'

Jan Ockers neemt zijn plaats in. Rembrandt kijkt. Albert ziet gewoon drie mannen staan, maar hij denkt dat meester Rembrandt wat anders ziet. Meester Rembrandt kijkt lang en intens en knikt soms. Uiteindelijk zegt hij: 'Je snor zit prima, maar je moet toch iets anders aan, iets met een wit kraagje. Albert, wil jij hem begeleiden? Je weet waar ik de kledingstukken bewaar?'

Albert knikt. 'In de kunstkamer toch?'

Rembrandt knikt. Jan Ockers laat zich door Albert naar buiten begeleiden.

Albert hoort nog net dat meester Rembrandt vraagt om Walich Schellingwou, maar die is er nog niet.

'Die heeft vast te diep in zijn glaasjes gekeken,' roept iemand.

Albert lacht voorzichtig. Dat is een goede grap, want Walich Schellingwou is wijnhandelaar.

'Zo, jongen,' zegt Jan Ockers als ze in de kunstkamer zijn waar de grote verzameling spullen van Rembrandt ligt opgeslagen, spullen die hij gebruikt voor zijn schilderijen of spullen die hem inspireren, 'je bent lelijk toegetakeld door je meester.'

Albert voelt voorzichtig aan zijn beide ogen. Hij vergeet het steeds, het doet wel pijn, maar hij wil er niet aan denken. Dat iedereen het ziet, is nog het lastigste.

Albert bewondert weer de enorme schilden van schildpadden en de grote schelpen. Hij weet ook niet wat hij verder moet zeggen en zoekt tussen de kledingstukken naar iets met een witte kraag.

'Lijkt dit u wat, heer?' vraagt Albert met een zachte verlegen stem.

'Ik zal je niks doen, jongen,' zegt Jan Ockers. 'Je hoeft tegen mij niet zo nederig te zijn, daar geef ik niks om. Als je mij maar helpt.'

Albert knikt en maakt de knopen van het witte hemd open. De kraag is los en rond. Heer Ockers trekt het snel aan en kijkt vragend naar Albert.

'We kunnen het meester Rembrandt beter zelf vragen,' zegt Albert, 'maar er zijn geen andere kledingstukken met een witte kraag.'

'Dan wordt dit het,' besluit Jan Ockers en hij loopt naar de deur. Hij bedenkt zich en pakt een helm en drukt die op het hoofd van Albert. 'Beter,' zegt hij, 'zo valt je oog minder op en het staat je goed.' Hij wacht tot Albert de deur voor hem heeft geopend en achter hem weer gesloten. 'Je hebt je taken als knecht snel opgepikt, zie ik, het is niet zo heel lang geleden dat je wees werd, toch?'

'Bijna drie maanden,' mompelt Albert. Dan ziet hij opeens zijn moeder voor zich, lachend en sterk, vrolijk bezig met het wassen van hun capes. Hij slikt. Hij ziet en hoort weer zijn moeder op haar sterfbed. 'Beloof het,' zegt ze, 'zeg: ik maak mij onvergetelijk.'

Nog maar een paar maanden geleden was zijn leven heel anders dan nu.

Ik moet nu aan andere dingen denken, denkt hij. Aan Witta, aan Cornelia, aan het werk.

Maar zijn hoofd blijft stilstaan bij dat ene beeld van zijn moeder op haar sterfbed.

Ze komen de atelierruimte van meester Rembrandt binnen. Het ruikt er verre van fris.

Albert loopt meteen naar het raam en opent het. Jan Ockers neemt zijn plaats naast Claes weer in. Meester Rembrandt heeft nu ongeveer tien man opgesteld. Een stuk of tien anderen wachten nog. Er klinkt weer zacht geroezemoes. Cornelia staat in de keuken.

Albert wil haar helpen, en dan zijn ze even samen.

Cornelia sluit de deur, kijkt hem aan. Voor de eerste keer die dag.

Rustig. Ze raakt voorzichtig zijn pijnlijke ogen aan. 'Je bent verdrietig,' zegt ze – ze vraagt het niet, ze weet het. Ze opent haar armen en hij vlucht erin. Een kleine eeuwigheid staan ze zo. Samen.

'Je kunt daar niet blijven,' zegt ze na een tijd, en ze laat hem los. 'Op een dag slaat hij je dood.'

'Nou, nee, dat denk ik niet,' zegt Albert, 'want dan heeft hij geen knecht meer, en eerder zei hij al dat hij niks had aan een dode knecht.'

'Dan neemt hij een andere,' zegt ze. 'Wezen zat.'

'Ik kan nergens anders heen,' zegt Albert.

'Dat weet ik,' zegt Cornelia, 'ik zou willen dat je hier kon werken.'

'Dat kan niet.'

'Nee.'

Terwijl ze praten, vullen ze de roemers wijn.

'Je ziet er prachtig uit,' zegt Albert, 'ongelooflijk mooi. Ik vond je meteen geweldig, de eerste keer dat ik je zag, maar nu…'

Cornelia glimlacht verlegen. Ze aait de wit-met-gele jurk. 'Dank je. Meester Rembrandt kwam hier vanmorgen mee aan. De jurk leek mij veel te kostbaar voor zo'n gewoon dienstertje als ik, maar als meester Rembrandt iets in zijn hoofd heeft, dan moet het gebeuren. Het is echt goud.'

Albert trekt haar even naar zich toe en kust haar op haar neus.

Cornelia pakt een kip op en hangt hem aan de poten onder haar riem.

'Wat doe je?'

'Ik heb net één kip te weinig. Zo onthoud ik dat ik deze straks nog moet plukken en klaar moet maken. Het is zo druk, ik vergeet het steeds. Maar het komt ook omdat als het even niet druk is, ik steeds aan jou moet denken.'

Het hart van Albert slaat een slag over.

Dan vliegt de deur van de keuken open, een schutter komt binnen en roept: 'We hebben dorst!'

Hoofdstuk vierentwintig

'Als iedereen weer even zijn plaats wil innemen?' roept meester Rembrandt.

De mannen komen in beweging. De een loopt naar links, de ander naar rechts, ze weten allemaal waar ze moeten staan.

'Jacob, zet je hoed op, die zwarte,' zegt meester Rembrandt. 'Mag ik nog even de aandacht? Kunnen jullie proberen de concentratie vast te houden? Ik ben er bijna, denk ik, dan zijn we klaar.'

'En voor wie wil is er straks wat te eten en te drinken.' Een goedkeurend geschreeuw vult de ruimte.

'Tok, tok, tok,' roept iemand en weer lacht iedereen.

'Heren!' roept meester Rembrandt luid. 'Ik wil dat u bezig bent met wat wij hebben afgesproken, u kijkt naar iemand, of iets, u trommelt, houdt uw wapen vast, maakt het schoon of gaat het bijna afvuren. En u, beide heren vooraan,' meester Rembrandt kijkt indringend naar kapitein Banninck Cocq en luitenant Van Ruytenburch, 'u bent heel belangrijk voor het in beweging zetten van uw troepen. Ik wil dat het voelt alsof u ieder moment vertrekt, alsof u zo naar mij toe komt lopen. Sterker nog: u vertrekt, maar staat wel stil.'

'Duidelijk,' zegt kapitein Banninck Cocq, 'zullen we aftellen?'

Luitenant Van Ruytenburch telt keihard af van vijf tot nul.

Meester Rembrandt schetst als een bezetene.

Na een korte tijd wordt de troep weer onrustiger. Het is verschrikkelijk benauwd in het atelier.

Albert ziet dat de blik van meester Rembrandt zeer helder is. Hij is er helemaal bij en meer dan dat. 'Uw hand nog iets hoger,' zegt meester Rembrandt tegen kapitein Banninck Cocq.

'Dat rode pak staat heel goed aan die kant van de compositie,' zegt meester Rembrandt tegen Jan Aertszoon van der Heede, de man voor wie de timmerman een nieuwe bedstee maakt.

'Jacob Joriszoon, doe eens een grote stap naar binnen, je staat te veel aan de buitenkant met je trommel. Kapitein Banninck Cocq, mogen we nog vijf tellen? Ik ben op zoek naar iets, het is nog niet compleet. Concentratie!'

Weer telt in plaats van de kapitein de luitenant af.

'Trommelslager, trommelen!' roept meester Rembrandt.

Albert en Cornelia staan samen aan de linkerkant, een paar passen van meester Rembrandt af, onder de doeken aan het plafond die het licht verzachten. Ze zien meester Rembrandt met grote grove halen schetsen, maar ook vult hij details in. Er zit een grote intensiteit in zijn bewegingen.

Opeens knijpt Cornelia Albert heel hard in zijn arm, zo hard dat hij een kreet slaakt.

Hij kijkt haar verbaasd aan en als antwoord wijst ze alleen maar. Hij volgt haar vinger: die wijst naar Witta.

Witta staat in het atelier van meester Rembrandt! Ze rent door het gezelschap. Loopt tegen iemand aan en zijn wapen gaat af, een schot wordt gelost. Ze rent naar de trommelslager en blaft tegen hem. De trommelslager stopt met slaan. Door het schot en het stoppen van de trom valt het hele gezelschap stil.

In die plotselinge stilte heeft Albert het gevoel dat de tijd stilstaat. Hij loopt in vertraagde passen die eeuwen lijken te duren naar voren om langs zijn meester naar de hond toe te lopen.

Ondertussen is Cornelia ook tussen de manschappen gaan staan. Ook zij loopt in de richting van de hond. Witta blaft in de stilte nog maar eens hard tegen de trommelslager. Meester Rembrandt schetst door, met grote concentratie.

Witta ruikt luitenant Van Ruytenburch en gaat naar hem toe, waarschijnlijk om hem te bijten. Albert rent om ze tegen elkaar te beschermen, want hij wil niet dat Witta een trap krijgt, maar ook niet dat de hond zijn meester bijt. Cornelia is gelukkig op tijd bij Witta en houdt haar aan haar halsband vast, niet te hard, zodat Witta toch nog kan bewegen en blaffen. Albert neemt de hond over en trekt Witta mee naar buiten. Weg van de manschappen, weg van meester Rembrandt en diens opstelling en vooral weg van zijn meester.

Hij rent met Witta het hele stuk terug naar het Blauwe Huys. Buiten adem leunt hij tegen het kot aan, terwijl Witta aan zijn voeten zit. Zwaar ademend kijkt Albert om zich heen. Zijn ogen branden en hij knippert. Even kijkt hij in de ogen van Witta, haar trouwe bruine ogen. Hij slikt en kijkt weer om zich heen, op zoek naar iets neutraals, iets wat zijn ogen rust geeft. Dan ziet hij een steentje liggen en pakt het op. De steen is beige en redelijk plat en gaaf. Er liggen er nog veel meer vlak naast hem, maar Albert kijkt naar dit steentje, volgt de vorm ervan, de fijne groeven en de kleine beschadigingen; een beetje vuil veegt hij eraf met zijn mouw.

Witta zit al die tijd naast hem. Ze kijkt bijzonder braaf en lijkt zich van geen kwaad bewust.

'Waarom ben je daar naar binnen gegaan?' Albert bekijkt het steentje nog steeds. Of opnieuw. Hij voelt zich helemaal leeg vanbinnen. Witta niest. 'Hoe ben je daar toch binnen gekomen?'

Witta kijkt hem aan en kwispelt een beetje.

Albert kan het wel bedenken. Waarschijnlijk stond de deur open voor laatkomers, net als gisteren.

'Ik kan nu niet meer terug, begrijp je. Nooit.' Weer bekijkt hij snel de steen, zeker nu zijn ogen nog meer gaan branden. Witta doet haar poot aarzelend omhoog.

'Ik zei niet "poot",' zegt Albert en hij moet ondanks alles toch lachen, 'ik zei "nooit".'

Hij pakt de poot van Witta en geeft haar een aai.

Over de kinderkopjes komt er iemand aan gerend. Het is Cornelia, ze is buiten adem.

'We moeten terug,' zegt ze.

'Wat doe je hier? Jij moet terug,' Albert gaat rechtop staan, 'meteen zelfs. Iedereen wacht daar op je en meester Rembrandt zal woedend zijn!'

'Jij moet mee,' zegt Cornelia.

Albert schudt zijn hoofd. 'Jij hoort daar, ik niet; ik kán toch niet terug, Cornelia, meester Rembrandt doet mij iets aan of anders alle boze schutters en mijn eigen meester wel. Ik zal mij een hele tijd onzichtbaar moeten maken en de straf van mijn meester maar moeten dragen.'

'Nee,' zegt Cornelia, 'het is anders dan je denkt. Meester Rembrandt is blij, "een doorbraak" noemt hij het, en jouw meester durft niks als de anderen erbij zijn. Als je wegblijft zal jouw meester steeds kwader worden en al zijn boosheid opsparen voor later; nu kan hij tegen je mopperen, maar hij weet ook dat meester Rembrandt niet boos is, maar juist opgelucht over wat er gebeurde. En ik hoorde dat meester Rembrandt iets tegen jouw meester zei over dat niet altijd alles is wat het lijkt, dat ze het daar toch over eens waren. Jouw meester keek heel verbaasd toen meester Rembrandt hem vertelde dat hij dat zei toen hij in de zijkamer het geverfde houtwerk zag. Jouw meester knikte, bleef knikken. Echt, je moet mee terug. Ik heb je hulp ook hard nodig, want het is pauze, de kip moet snel worden klaargemaakt en iedereen wil brandewijn, jouw meester voorop.'

'Weet je het zeker?'

Cornelia steekt haar beide handen uit naar Albert. Hij pakt ze aan en laat zich naar haar toe trekken. Nu kust ze hem op de neus. 'Ik heb nog nooit iets zo zeker geweten.'

Albert kijkt naar Witta. Hij is niet boos op haar, hoe kun je boos zijn op zo'n onschuldig beest? 'Wat moet ik met haar doen?'

'Ze voelt zich alleen, denk ik, en dan gaat ze op zoek naar jou. Is er iemand die op haar kan passen? Zodat ze niet weer wegloopt?'

Albert denkt na. Iemand die op Witta kan passen? Er schiet maar één persoon door zijn hoofd. Dat kan hij proberen.

Even later stapt Albert met Cornelia Paulus' werkplaats binnen. Paulus legt meteen zijn werk neer en kijkt hen blij aan.

'Ik heb niet veel tijd,' zegt Albert.

'Dat is geen nieuws,' zegt Paulus.

Cornelia stapt naar voren en geeft de timmerman een hand. Hij kijkt haar aan. 'Jij bent zeker de dienstmeid van meester Rembrandt?'

Ze knikt.

'Je bent nog mooier dan ik uit de verhalen van Albert heb begrepen.'

Cornelia glimlacht breed.

Albert praat gehaast.

'Ik moet Witta kwijt, eventjes, maar wel nu meteen, want we

moeten terug naar het huis van meester Rembrandt, de hele schutterij is daar.'

'En jullie staan hier?'

Ze knikken. Paulus kijkt naar Witta, die meteen begint te kwispelen. 'Ik zie je later wel,' zegt Paulus en gaat weer aan het werk, alsof Albert hem net gewoon naar het weer vroeg.

Albert en Cornelia kijken elkaar aan en verlaten hand in hand de werkplaats.

Ze gaan als vanzelf rennen als ze buiten zijn.

Hoofdstuk vijfentwintig

Cornelia duwt de deur van het atelier open, haar handen vol roemers brandewijn, en doet net of ze niet weg is geweest. De roemers worden meteen uit haar handen getrokken en ze loopt terug om meer te halen.

Albert ondergaat hetzelfde lot. Hij loopt met Cornelia terug naar de keuken en ze vullen opnieuw roemers.

'Ik ga de laatste kip plukken,' zegt Cornelia, 'eindelijk. Ga jij door met drank uitdelen?'

Albert knikt. Hij buigt zich voorover om haar te kussen, maar ze schudt haar hoofd. 'We moeten nu echt opschieten. Voor kussen hebben we ons hele leven nog.'

Albert pakt zoveel mogelijk roemers en duwt de deur van de keuken open met zijn schouder.

'Vergeet je meester niet,' zegt Cornelia.

'Ik had niks door, hoor,' hoort Albert iemand in het atelier zeggen. 'Een hond? Die was dan zo weer weg.'

'Een muzikaal beest, blafte op de maat van de trom,' hoort hij een ander zeggen.

'Gaf meester Rembrandt net het goede zetje, nou, daar gaat het maar om, kunnen wij lekker aan de brandewijn, zit het werk er weer op.'

'Door die hond zijn wij nu klaar!'

'Brandewijn?' vraagt Albert en hij is vrijwel meteen alle roemers kwijt.

Met de laatste roemer in zijn hand loopt hij naar zijn meester. Meester Rembrandt staat vlak naast Van Ruytenburch. Albert buigt door zijn knieën en biedt meester Rembrandt de laatste kroes aan. Het zou erg onbeleefd zijn als hij het anders deed.

'Dank je, knul,' zegt meester Rembrandt, 'voor de hond, bedoel ik. Dat was net wat ik nodig had. Ik hoef geen brandewijn, geef mij maar bier. Geef dit maar aan je meester, hij zal wel trots op je zijn.'

Albert geeft zijn meester de roemer aan en kijkt hem even in de ogen. Onder zijn huid duwen de beestjes weer, hij moet zijn uiterste best doen om te blijven staan waar hij staat. Zijn meester gromt en pakt de roemer aan. Albert draait zich om, glimlacht heel kort en herstelt zich.

Er komen enkele gasten afscheid nemen van meester Rembrandt.

'Dank u voor deze dag,' zegt Jan Brughman, 'ik ben heel benieuwd naar het eindresultaat. Als dat maar niet zo'n zootje wordt.'

'Dit is natuurlijk maar een schets, u hebt het vast heel anders in het hoofd, meer klassiek, zoals we gewend zijn,' zegt sergeant Reijnier Janszoon Engelen.

'U zult versteld staan straks,' zegt meester Rembrandt. 'Hartelijk dank voor uw inzet vandaag, die was voor mij van onschatbare waarde. Albert, zou jij deze mensen uit willen laten?'

Albert gaat de heren voor. Hij laat ze uit en sluit de deur. Wat zou hij hier graag werken voor meester Rembrandt, maar dat kan niet, want meester Rembrandt heeft genoeg personeel.

Hij denkt aan Witta – die zou hij ook nooit meer kunnen zien als hij hier woonde.

Niet dromen, denkt Albert. Hij draait zich om en loopt naar boven, terug naar het atelier.

Daar staan alweer nieuwe mensen klaar om te worden uitgelaten. Albert loopt opnieuw naar beneden.

Als hij dan terugkomt boven in het atelier, ziet hij dat er nog ongeveer tien man over zijn.

'Breng meer brandewijn!' roept zijn meester als hij Albert ziet.

Meester Rembrandt heeft zich teruggetrokken achter zijn schildersezel. Hij bestudeert zijn werk.

Albert zou dolgraag even willen kijken en loopt enkele passen naar meester Rembrandt toe.

'Brandewijn!' schreeuwt Alberts meester, 'dat staat daar niet, uilskuiken!'

Albert zucht. Zijn meester heeft vast al vijf roemers op.

Meester Rembrandt legt zorgvuldig een doek over zijn schets en loopt in de richting van zijn gasten. Albert ziet dat hij moe is en alleen gelaten wil worden, maar ook dat hij tevreden is en ontspannen, tenminste: meer ontspannen dan Albert hem ooit zag.

De mensen in zijn atelier zijn van mening dat het feest net begint. Ze zullen de kippen die Cornelia bezig is klaar te maken straks verslinden. Ze willen brandewijn, meer brandewijn.

Nu een deel van de gasten is verdwenen, begint Albert vast op te ruimen. Hij pakt roemers op en brengt ze naar de keuken. Hij veegt de vloer aan, ruimt achtergelaten kledij op.

Hij loopt steeds naar de keuken en terug. In de keuken is Cornelia bezig met het bereiden van de kippen en het ruikt heerlijk.

Opeens staat meester Rembrandt in de keuken. 'Jullie hebben het uitstekend gedaan, vandaag. Dank jullie wel,' zegt hij.

Albert buigt zijn hoofd. Maakt meester Rembrandt een grapje? Of is hij serieus? Vond hij het echt niet erg dat Witta zomaar binnen kwam stormen en alle concentratie weghaalde?

Meester Rembrandt pakt de kin van Albert vast en kijkt hem aan. 'Ik ga je belonen voor vandaag,' zegt meester Rembrandt.

'O, maar dat wil ik niet,' zegt Albert, 'ik ben gewoon de knecht van meester Van Ruytenburch en ik heb u graag geholpen.'

'Daarom juist,' zegt meester Rembrandt raadselachtig en hij verlaat de keuken, maar pas nadat hij de geuren vreselijk diep heeft opgesnoven en heeft gezegd: 'Het ruikt hier beter dan daar.'

Als Albert weer bezig is in het atelier, volgt hij de gesprekken van de deftige heren.

'Bent u een beetje tevreden, meester Rembrandt?' vraagt kapitein Banninck Cocq aan de grote schilder.

Meester Rembrandt knikt.

'Ik heb mijn hand wel duizend keer hoog moeten houden en hoger, zo'n hand zakt vanzelf weer,' zegt de kapitein.

Hooghouden, denkt Albert en hij herinnert zich meteen weer: ik moet de belofte aan mijn moeder hooghouden, maar hoe? Misschien is het wel genoeg dat Cornelia aan hem denkt. Dat zei ze tenminste. Zo lang zij aan hem denkt, wordt hij niet vergeten.

'We zijn inmiddels wel erg benieuwd naar uw compositie,' zegt kapitein Banninck Cocq. 'Mogen we die na vandaag als gereed beschouwen?'

'Ja,' knikt meester Rembrandt, 'zoals ik het nu voor ogen heb, zo ga ik het schilderen.'

'Dat met die hond, dat was ook wat, hè?' Meester Banninck Cocq kijkt meester Rembrandt vragend aan.

'Dat was geweldig,' zegt meester Rembrandt.

'Ik begrijp niet wat er zo geweldig aan was,' zegt opeens de

137

stem van Alberts meester, 'zo'n goor beest tussen ons in, tijdens een plechtige gebeurtenis. Ik zal mijn knecht hier zeker over onderhouden als we thuis zijn.'

Alberts hart klopt alsof hij al heel lang rent. Hij weet wel wat voor soort onderhoud dat zal worden: kort maar krachtig.

'Dat lijkt mij niet nodig,' zegt meester Rembrandt, 'en als u het schilderij ziet, weet u ook waarom niet.'

'Ik durf het bijna niet te vragen,' zegt meester Banninck Cocq, 'maar zouden we uw opzet nu al mogen bekijken?'

'Dat is wel het minste wat we mogen verwachten na al dat poseren en deze dag en het voorschot,' snauwt luitenant Van Ruytenburch. 'Hij is een meester in iemand laten wachten, maar is hij ook een meester in schilderen, in het maken van een compositie, zoals hij steeds zo deftig zegt?'

Albert loopt naar de deur om nieuwe brandewijn te halen en te kijken of de kip al gaar is.

Hij hoort meester Rembrandt nog zeggen: 'Weet u, ik neem zelf een roemer brandewijn en dan eten we wat en daarna zal ik mijn compositie aan u laten zien, heren, als u dat zo graag wenst. Is dat een afspraak?'

De kip is een groot succes. Al snel liggen er alleen nog maar afgekloven botjes. Overal. Albert bukt zich en pakt ze op. Kleine botjes en grotere, stukgebeten botten die scherp zijn. Hij legt ze op een bord, dat al aardig vol begint te raken.

Albert wil Cornelia kussen. Ze staat warm en heerlijk geurend af te wassen. Albert gooit een laatste bot op het bord en loopt opgewekt naar de deur.

'Wacht,' zegt meester Rembrandt tegen hem, 'wacht even. Ook jij moet erbij zijn.' Meester Rembrandt klapt in zijn handen. Hij is vrolijker sinds hij twee roemers brandewijn heeft gedronken, zijn wangen zijn donkerrood en zijn ogen een beetje waterig.

'U wilt toch allen de schets zien, het uitgangspunt voor het grote schilderij, mijn compositie?' vraagt meester Rembrandt – er zit iets uitdagends in zijn stem, hoort Albert.

'Jazeker,' zegt kapitein Banninck Cocq meteen.

'Het werd tijd,' zegt luitenant Van Ruytenburch lodderig.

Albert staat met het bord vol afgekloven botten te wachten. Eigenlijk wil hij naar Cornelia. En meer dan dat: hij wil niet altijd alleen maar wachten.

Voorzichtig duwt hij de deurkruk naar beneden. De deur gaat een beetje open.

'Wilt u allen daar gaan staan,' zegt meester Rembrandt en hij wijst naar de deur. Kapitein Banninck Cocq staat recht voor de deur en duwt deze dicht. Meester Rembrandt staat voor zijn schildersezel. De gasten kunnen niets zien. Meester Rembrandt kijkt lang naar de schets.

Luitenant Van Ruytenburch kucht.

'Ja, goed,' zegt meester Rembrandt, 'u mag zeggen wat u wilt, maar ik hoop dat u begrijpt dat dit het zal worden, hoe dan ook.'

Hij draait de schildersezel naar het kleine gezelschap toe.

De stilte die volgt wordt alleen onderbroken door het geluid van brekend aardewerk uit de handen van Albert.

Hoofdstuk zesentwintig

Na een lange stilte begint kapitein Banninck Cocq te applaudisseren. 'Bravo, meester,' zegt hij en hij buigt licht door zijn knieën ten teken van grote eerbied.

Rembrandt buigt als dank zijn hoofd terug.

Albert kijkt met open mond naar de schets.

Enkele schutters klappen ook zacht, maar heel even.

Luitenant Van Ruytenburch schraapt zijn keel. 'Bravo? Ik zou niet weten waarom. Een rommeltje is het. En...' - hij loopt enkele vinnige stappen naar voren en prikt met zijn wijsvinger bijna door de schets heen - '...wie is dat?'

'Dat weet u toch wel?' zegt meester Rembrandt. 'U ziet hem elke dag.'

'Maar wat doet dat luie onderkruipsel op uw schets? Dat moet een grapje zijn. Mijn knecht, die niet bij de schutterij hoort, die niet heeft betaald, zou op uw doek komen?'

Opeens kijkt iedereen naar Albert. Die staat tussen de scherven van het bord en alle botjes in. Hij staat als versteend en kan alleen maar naar zichzelf op de schets van meester Rembrandt staren. Het is gelukt, zingt het door hem heen. Meester Rembrandt zal hem op het schilderij schilderen. Hij zal niet vergeten worden. Zijn moeder zal trots op hem zijn, hij heeft zijn belofte gehouden.

140

Zijn blik zoekt die van meester Rembrandt en weer ontmoet Albert de zachte ogen die hij eerder bij de schilder had gezien. Hij kan er niet tegen, tegen die blik, en Albert sluit zijn ogen in een poging om alleen te zijn. Met zijn ogen dicht ziet hij zijn moeder lachen, terwijl hijzelf in het rond springt als een jonge hond die voor het eerst weg mag rennen.

Dan staat zijn oor ineens in brand en hij opent verschrikt zijn ogen. Zijn meester heeft hem vast en trekt hem aan zijn oor naar voren.

'Dat is een grap, toch?' zegt Van Ruytenburch met enige dreiging in zijn stem tegen meester Rembrandt.

De uitdrukking in de ogen van meester Rembrandt verandert. Hij loopt naar luitenant Van Ruytenburch en grijpt hem bij zíjn oor. Die gilt het uit van pijn en laat Albert meteen los.

Kapitein Banninck Cocq stapt naar voren, steekt zijn hand uit en zegt: 'Heren, heren, dit kan niet.' Meester Rembrandt laat het oor van luitenant Van Ruytenburch los.

'U moet uw excuses aan de luitenant aanbieden,' zegt de kapitein streng en meester Rembrandt buigt zijn hoofd en zegt: 'Het spijt me.' Erg gemeend klinkt het niet, maar luitenant Van Ruytenburch knikt en stapt naar achteren.

'Ik weet zeker dat meester Rembrandt ons kan uitleggen wat hij heeft gedaan, wat hij heeft gekozen en wat zijn overwegingen waren,' zegt kapitein Banninck Cocq. 'Ik ben zelf een bescheiden kunstkenner, maar ik zie meesterschap op deze schets en ik verwacht als het echte werk, het schilderij, af zal zijn, dat wij dat meesterschap er vanaf zullen zien spatten.'

'Wat ziet u dan, anders dan een rommeltje en een knecht?' vraagt luitenant Van Ruytenburch honend.

Albert staat twee stappen van meester Rembrandt vandaan. Hij zou hem willen omhelzen, hij zou op zijn knieën willen vallen en hem uit de grond van zijn hart willen bedanken. Maar terwijl hij de schilder van zo dichtbij bekijkt, weet Albert dat meester Rembrandt het niet voor hem gedaan heeft, maar voor het schilderij dat er moet komen. Albert past daarop, en daarom zal hij erop komen. Het maakt meester Rembrandt niet uit of hij hem zal bedanken of niet, het maakt meester Rembrandt niet uit of het gezelschap het schilderij mooi vindt of niet, meester Rembrandt was op zoek naar de mooiste verbeelding van deze groep mensen en heeft die gevonden.

'We zullen zien hoe los en herkenbaar de penseelstreken zijn,' zegt kapitein Banninck Cocq, 'we zullen zien dat het moeilijk schilderen zal zijn en voor ons toch makkelijk te herkennen. Ook nu al zien we hoe meester Rembrandt zijn meesterschap toont door zijn gebruik van kleur en licht. Kijk,' wijst hij, 'hier in het licht staat eh...' – hij zwijgt verbaasd en kijkt naar meester Rembrandt – '... uw meid.'

'Ik vind het een schande,' zegt luitenant Van Ruytenburch, 'en kijk, daar staat die vuile hond ook nog!'

Nu pas ziet Albert het. Hij keek tot nu alleen maar naar zichzelf, maar Cornelia staat er eveneens op. En Witta. Hij kan er niks aan doen dat hij vanzelf begint te glimlachen, van oor tot oor.

'Ik vind het ook wel wat rommelig,' zegt iemand, 'ik wil hier uitleg over.'

Meester Rembrandt aarzelt. Het lijkt of hij er geen zin in heeft om te spreken, er geen behoefte aan heeft om uitleg te geven. Maar hij recht zijn rug, kucht zacht en praat.

'Het werken aan wat ooit het schilderij *De compagnie van Frans Banninck Cocq* moet worden, houdt mij momenteel op de been.

Verder is alles moeilijk. Mijn vrouw is niet gezond, ik ben bang haar kwijt te raken.'

Meester Rembrandt kijkt de mannen die om hem heen staan, aan.

Niemand zegt wat. De stilte duurt lang. Meester Rembrandt zucht. 'Het schilderij stel ik mij voor als groot en vrij donker, veel zwart. Ik neem mij voor te vechten tegen het donker, maar ik voel nu al dat ik die strijd ga verliezen.'

Cornelia komt het atelier binnen en Albert ziet dat ze merkt dat de eerst zo vrolijke sfeer is omgeslagen. Ze kijkt Albert vragend aan; die kijkt naar haar, dan naar de schets en daarna weer naar haar. Cornelia sluit de deur, kijkt naar de schets en haar ogen worden groot. Ze grijpt zich vast aan een stoel.

Meester Rembrandt schraapt zijn keel. 'Het is spijtig dat ik u heren niet meteen heb kunnen overtuigen, niet direct heb kunnen innemen voor mijn plan en visioen. Ik ben een gerespecteerd schilder, gelukkig, en ik denk dat dit komt omdat ik altijd op zoek ben naar een beeld dat past bij de aard van het verhaal dat ik wil vertellen. Ik zoek net zo lang tot ik kan laten zien hoe het echt is. Zodat iedereen die naar dit schilderij kijkt, zal weten: dit zijn de schutters, zo zijn ze. Maar ik wil het niet verbeelden zoals iedereen verwacht, ik wil het origineel doen en overtuigend en waarheidsgetrouw. Ondanks uw eerste afwijzing verwacht ik dat u gaat zien dat dit schilderij in wording, deze compositieschets al die elementen bevat. Tot vandaag miste ik onderdelen en toen de hond door mijn ruimte rende met Cornelia en Albert erachteraan, toen zag ik het totaal zoals het moest worden. Toen kon ik het afsluiten. U, luitenant Van Ruytenburch, mag misschien ontevreden zijn, maar als u goed kijkt ziet u hoe mooi u in het licht staat, hoe goed vooraan en hoe ik uw gelaatstrekken naar waarheid heb weergegeven.

Ik ben blij dat kapitein Banninck Cocq het wel ziet. Ik vind dat de heldere blik in zijn ogen en zijn natuurlijke overwicht hem sieren op deze schets en straks ook op het uiteindelijke werk.'

Niemand antwoordt. Iedereen kijkt naar de schets of is in gedachten verzonken.

'Alles gaat voorbij, alles verandert. Misschien blijft mijn werk, dat hoop ik,' besluit meester Rembrandt.

Albert weet dat meester Rembrandt gelijk heeft. Alles verandert.

Hij weet ook dat hij vannacht helemaal in elkaar geslagen en getrapt zal worden door zijn woedende meester. Luitenant Van Ruytenburch is namelijk bijna paars, van de brandewijn. Albert ziet zijn gebalde vuisten, ziet zijn zacht prevelende mond. Hij rilt.

Wat moet hij doen? Moet hij het accepteren, wachten tot het voorbij is, dan de scherven bijeenrapen en kijken wat er van hem over is?

Hij loopt terug naar het gevallen bord en bukt om de scherven op te rapen. Hij snijdt zich aan een rand, de wond begint meteen behoorlijk te bloeden, Albert laat zijn handen hangen en langzaam vallen de eerste druppels bloed op de vloer. Albert weet niet meer wat hij moet doen, wachten, weggaan of strijden. Hij staat en staat. Cornelia loopt naar hem toe, pakt zijn handen en houdt ze omhoog. 'Hooghouden,' zegt ze zacht.

Hoofdstuk zevenentwintig

Het is al laat als Albert de deur naar de timmerwerkplaats probeert te openen.

Dat lukt, de deur is niet op slot. Hij stapt het donker in en wacht tot zijn ogen een beetje gewend zijn en hij iets kan zien. Meteen voelt hij tegen zijn hand een zachte adem en hij aait de vacht van Witta.

'Dag braaf beest,' zegt Albert en hij zakt door zijn knieën, legt zijn hoofd op haar vacht. Even, heel even laat hij zich gaan met zijn ogen dicht, dan doet hij ze open en zucht heel diep.

'Viel het niet mee?' vraagt de stem van Paulus.

Albert schrikt, maar herstelt zich meteen. 'Hebt u op mij gewacht?'

'Mmm,' zegt Paulus, 'ik had dingen om over na te denken en dat gaat bij mij niet zo vlot. Mijn handen gaan wel vlot, maar mijn hoofd... ik kan het wel... maar...'

Albert ziet inmiddels wat meer en laat zich vlak naast Paulus op de vloer van de werkplaats zakken. Paulus geeft hem wat bier, en Albert voelt opeens dat hij vreselijke dorst heeft en drinkt de kroes in één teug leeg.

'Vertel,' zegt Paulus.

Albert weet niet waar hij moet beginnen.

'Ik sta op het schilderij,' zegt hij dan plompverloren.

'Welk schilderij?' vraagt Paulus.

Albert vertelt.

'Dus het ís belangrijk,' vraagt Paulus, 'dat je erop staat?'

Dan vertelt Albert over zijn moeder en zijn belofte, en meteen erna over hoe boos luitenant Van Ruytenburch is, maar dat hij die man zo meteen onder ogen moet komen. En dat hij bang is.

Na dit verhaal zwijgen ze, twee mannen en een hond, naast elkaar in de werkplaats in de nacht.

'Ik ben ook bang,' zegt Paulus.

'U?'

'Daarom stelde ik het zo lang uit,' zegt hij.

'Wat?'

'Om je aan te nemen, je moet hier komen werken, jongen.'

'Ik heb geen geld.'

'Nee.'

Ze zitten weer een tijdje stil naast elkaar.

'Begrijp je waarom meester Rembrandt je op het schilderij heeft gezet, ook al heb je niet betaald?'

'Ja.'

'Waarom dan?'

'Ik pas daar. Ik moet daar staan.'

'Precies, dat bedoel ik nou ook.'

Albert laat de woorden van Paulus tot zich doordringen, dan voelt hij de droge sterke hand van Paulus tegen zijn arm en hij laat zijn hand erin glijden.

'Afgesproken?'

'Afgesproken.'

'Witta voelt zich hier ook al helemaal thuis,' zegt Paulus. 'Maar er is nog wel één ding. Of eigenlijk twee. Nou vooruit, drie dingen.'

Albert voelt zijn maag samenknijpen. Als het maar lukt om aan die eisen te voldoen.

'Het eerste is dat ik niet wil dat je steeds "meester" zegt en "u" en dat je onderdanig doet. Als je gewoon goed werkt, is het prima.'

Albert knikt, begrijpt dan dat Paulus hem niet ziet en zegt zacht: 'Ja.'

'Het tweede is dat je Cornelia hier regelmatig laat komen, ze is een lieve meid.'

Weer zegt Albert zacht: 'Ja.'

'Het derde is moeilijk, het moeilijkst, maar ik wil toch dat je dat echt doet.'

Albert zuigt zijn adem naar binnen en houdt die in terwijl Paulus zijn laatste voorwaarde stelt.

Inderdaad is dit een lastige voorwaarde. Maar Albert knikt en zegt duidelijk: 'Ja.'

Dan staat hij op en zegt Paulus gedag. Hij roept Witta en die staat meteen naast hem.

'Ik mag haar toch meenemen?' vraagt hij en als het stil blijft, zegt hij: 'Ik neem haar mee.'

Witta is zijn hond.

Hij houdt de deur van de werkplaats vast. Zijn deur naar geluk.

'Tot morgen dan,' zegt hij. Hij sluit de deur zacht en loopt de nacht in.

Hoofdstuk achtentwintig

Albert loopt de kleine stegen door. Overal is het donker. Hij kijkt omhoog, naar de lucht. Het is een heldere nacht. Opeens voelt hij ook hoe koud het is. Maar koud heeft hij het niet.

Hij staat stil en staart naar boven. Naar de sterren. Hoe langer hij kijkt, hoe meer hij er ziet.

Alles is zo groot boven hem, zo onmenselijk groot en ruim.

Hij ziet zichzelf weer staan op zijn kleine binnenplaats waar ook hun privaat was. Ook toen keek hij omhoog, in de donkere nacht. Naar de diepzwarte lucht en hij zag alle sterren, de maan. Daar voelde hij zich voor het eerst met alles verbonden. Met de, sterren, met de grootsheid. En daar werd hij rustig van.

Dan ziet hij zichzelf voor de spiegel staan in het Blauwe Huys, in de donkerblauwe mantel met de sterren erop. Daar voelde hij voor het eerst dat hij klein is, maar ook groot. Dat iets ruim kan zijn, maar toch kan passen.

Hij kijkt naar het zwart van de lucht en ziet zichzelf met zijn moeder; met zijn meester in het bedompte huis; met Witta in het kot; met Cornelia in zijn armen; bij meester Rembrandt, op de schets van het schilderij; bij Paulus in de werkplaats.

Het moet heel zacht regenen, want zijn gezicht is nat. Met een vlot gebaar veegt hij zijn wangen droog. Maar hij voelt dat het niet regent; zijn gezicht is nat van iets anders. Hij haalt zijn schouders op.

Zijn hart begint sneller te kloppen, want hij is vlak bij het Blauwe Huys. Witta kwispelt naast hem.

'Je bent braaf,' zegt hij, 'maar niet blaffen, hè?' Witta niest als antwoord.

Albert loopt naar het kot en luistert scherp. Zijn meester is binnen, wakker, hij hoort hem praten. Praten tegen zichzelf.

Albert sluipt dichterbij, de hond dicht tegen zich aan.

Zijn meester heeft nog meer gedronken, hoort hij, de stem van de luitenant is nog wat onvaster dan eerder en Albert hoort ook dat er van alles valt.

'Waar is die verduivelde knecht!' roept Van Ruytenburch. 'Altijd weg als je 'm nodig hebt. Maar ik zal 'm... ik zal 'm.'

Met luid gedonder valt er iets om in de woning.

'Niet zo in de weg staan, jij eh... ding,' zegt Alberts meester, 'respect tonen, hoor.'

Het is een tijd stil. Albert wil net weglopen als hij weer wat hoort.

'Die hond, die kan ik afmaken, dan weet ik zeker dat die er niet op komt. Maar de jongen, kan ik dat ook maken met de jongen...?' Hij lacht een akelige lach die maar even duurt, maar Albert een rilling bezorgt.

'Ik ga heel zacht naar binnen, even mijn spullen pakken, wacht hier,' zegt Albert tegen Witta.

Hij sluipt naar binnen en pakt de oude mand in met zijn kleding en het brokje nootmuskaat, de rasp en de kom. Even denkt hij aan morgen, aan wat hij nog moet doen. Hij zucht diep.

Buiten zegt hij tegen Witta: 'Kom, we gaan slapen, onze laatste nacht samen in het kot.'

Witta loopt met hem mee en kruipt handig het kot binnen. Albert volgt.

Hij verwacht niet dat hij kan slapen, er is zo veel gebeurd. Hij strekt zich uit en zucht.

Witta doet precies hetzelfde.

Dan ziet hij zijn moeder. Ze komt heel dicht bij hem staan en zegt: 'Ik ben zo trots op jou!'

Ze kust hem stevig.

Hij ontwaakt, weet dat het een droom was en duwt Witta, die hem in zijn gezicht likt, weg.

De rest van de nacht ligt hij glimlachend wakker.

Hoofdstuk negenentwintig

'Komen!' hoort Albert roepen. Het is zijn meester. 'Waar zit je?
Mijn hoofd doet vreselijk zeer, je moet warm water maken. Kom
onmiddellijk hier!'

Albert gaat rechtop zitten in het kot. Hij neuriet. Daar is de
glimlach weer terug op zijn gezicht. Snel kruipt hij het kot uit,
Witta volgt hem en Albert laat het toe.

'Wacht hier,' zegt Albert, maar hij weet niet zeker of ze dat
snapt. 'Zit.'

Witta gaat zitten en Albert gaat naar binnen.

'Waar zit die luiwammes, die niksnut, die slinkse figurant op het
schilderij van de schutterij? Als ik hem zie, dan zal ik 'm...' Luitenant Van Ruytenburch is nuchter en kwaad.

Albert kucht, de glimlach komt als vanzelf weer terug om zijn
lippen.

'Ha,' zegt luitenant Van Ruytenburch, 'daar ben je eindelijk.'
Met bloeddoorlopen ogen en donkere wallen eronder kijkt zijn
meester Albert aan. 'Wat sta je daar stom te glimlachen!' Dan pakt
meester Van Ruytenburch de kachelpook, doet een stap in Alberts
richting en botst dan tegen hem op omdat Albert niet naar achteren stapt, zoals hij had verwacht. Verward zet zijn meester zelf
een stap naar achteren en meteen doet Albert een stap naar voren,

zodat hij weer vlak voor zijn meester staat.

'Ik wil u wat zeggen,' zegt Albert flink.

'Nou, ik ook!' zegt luitenant Van Ruytenburch. 'Maar niet alleen met woorden.'

Albert haalt diep adem en kijkt zijn meester in de ogen. 'Ik ga weg,' zegt Albert, 'ik kom afscheid nemen, ik kom niet meer terug.'

Luitenant Van Ruytenburch lijkt het nieuws niet te begrijpen.

'Dank u voor wat u me gegeven hebt.' Albert draait zich om.

'Ho!' zegt luitenant Van Ruytenburch, en als Albert niet stopt pakt hij hem bij zijn mouw. 'Dat gaat zomaar niet!'

'Ik denk het wel,' zegt Albert. Hij pakt de hand van zijn meester en haalt die van zijn mouw. 'Ik ga weg en ik kom niet meer terug.'

Hij heeft nu aan de derde voorwaarde van Paulus voldaan. Die stond erop dat hij één keer zonder angst voor zijn meester zou staan, hem de waarheid zou zeggen en hem zou bedanken voor wat hij hem had gegeven, ook al was dat weinig.

'Dat begrijp ik niet,' zegt luitenant Van Ruytenburch en hij gaat nu dreigend voor Albert staan.

'Welk deel van de mededeling begrijpt u niet?' vraagt Albert vriendelijk. 'Dat ik wegga of dat ik niet meer terugkom?'

'Waar wilde je heen?' vraagt luitenant Van Ruytenburch. 'Niemand wil immers zo'n... zo'n hond als jij in huis nemen en te eten geven.'

'Toch wel,' zegt Albert. Hij duwt zijn voormalige meester opzij en loopt naar buiten. Daar wacht Witta, die meteen opstaat en begint te kwispelen.

'Dit is ongehoord!' schreeuwt meester Van Ruytenburch. 'Als je een bot heel wilt houden in je lichaam, dan raad ik je aan nu meteen terug te komen en met je werk te beginnen! Ik ben nog niet klaar met jou!'

Albert loopt door, met Witta aan zijn zijde. Hij denkt aan de werkplaats, aan de geur van hout, aan alle dingen die hij kan leren. Nee, hij zal geen advocaat worden, maar nu hij eenmaal een advocaat kent, weet hij ook niet meer zeker of dat wel een goed beroep voor hem zou zijn geweest. Hij houdt van de werkplaats, van het hout en het gereedschap, en hij zal alleen maar beter worden. Dan denkt hij aan Cornelia, aan haar haar, haar ogen en haar appelgeur. En hij denkt aan hun toekomst. Rustig begint hij een vrolijk liedje te neuriën.

Het laatste wat Albert hoort terwijl hij het erf afloopt met Witta naast zich, is: 'Komen, nu! Jij... jij...!'
Albert glimlacht en loopt door. De wereld wacht.

Hoe de auteur op dit verhaal is gekomen

Geheim

Je hebt net *Voor altijd beroemd* uit. Misschien ben je benieuwd naar wat er verder allemaal met Albert gaat gebeuren. Zal hij een goede timmerman worden? Wordt hij eindelijk weer gelukkig? Zal hij met Cornelia trouwen? Krijgen ze kinderen? Blijft Cornelia dan werken bij meester Rembrandt, of niet? Wil je weten of Witta oud wordt en misschien zelfs puppies krijgt?

En zal Van Ruytenburch gemakkelijk een nieuwe knecht vinden? Zal hij die ook zo slecht behandelen? Kan Albert nog iets betekenen voor de nieuwe knecht? Hem helpen?

We hoeven ons niet af te vragen wat er met Albert is gebeurd, want hij heeft nooit bestaan. Nee, echt niet.

Wat wél echt bestaat is het schilderij *De Nachtwacht*, en Rembrandt heeft echt geleefd en *De Nachtwacht* geschilderd. Maar niemand weet wie die jongen is die op dat beroemde schilderij staat.

Die jongen op *De Nachtwacht* had best Albert kunnen zijn.

Hij had erop kunnen staan vanwege Witta, vanwege de belofte aan zijn moeder en zijn vraag aan Rembrandt, maar erg waarschijnlijk is het niet.

Samen met Hanna, mijn dochter die toen dertien was en in de brugklas zat, heb ik Albert verzonnen. Dat ging zo.

156

Hoe het begon

In maart 2009 stond er in de krant een foto van *De Nachtwacht*. Op het schilderij waren nummers op de verschillende figuren geplakt. In het bijschrift onder de foto waren de nummers terug te vinden. Bij iedere man op het schilderij stond wie hij was en waar hij gewoond had. Maar bij plaatje 20 en 21, een jongen en een meisje, stond niets.

Hanna en ik gingen op zoek naar het meisje en de jongen op het schilderij.

Wie waren ze?

Eerst belde ik de historicus Bas Dudok van Heel, de man die de namen van de schutters op *De Nachtwacht* had gevonden. Ik vroeg hem naar de jongen en het meisje.

'Gezien haar fysiek lijkt ze meer op een dwerg,' zei meneer Dudok van Heel. 'Hoewel haar gezicht niks weg heeft van een kind, denken mensen toch aan een meisje. Maar moet je haar gezicht eens bekijken, ze lijkt wel een monster. Ze lijdt.'

'En de jongen?' vroeg ik.

'Hij draagt een kruithoorn, hè?' zei meneer Dudok van Heel. 'Hij helpt de schutter die achter hem staat met het wapen.'

Ik had nog nooit van een kruithoorn gehoord.

'Zijn helm is te groot, je kunt zijn gezicht daardoor niet eens zien,' zei meneer Dudok van Heel, 'en de helm die hij draagt is ook nog uit de tijd – niet uit díe tijd in elk geval. Dus vreemd. Er is heel veel over *De Nachtwacht* geschreven, en uiteraard ook over die figuren. Het meisje heeft een kip aan haar gordel hangen, misschien staat ze symbool voor een marketentster of was ze het liefje van soldaten.'

Ik had ook nog nooit van een marketentster gehoord, maar zei niks. Later las ik op internet dat een marketentster een wasdame is, de hulp van soldaten.

'Haar jurk is van satijn met borduursels, dat zegt ook veel. Sommigen denken dat de kinderen op het schilderij symbool staan voor de kinderen die tijdens optochten van de rederijkerskamers aan de kop van een optocht liepen met het vaandel. Het kan ook zijn dat ze erop staat om het schilderij diepte te geven, dat Rembrandt deze techniek heeft gebruikt om de kapitein en de luitenant beter uit te laten komen.'

Toen het gesprek met meneer Dudok van Heel was afgelopen had ik nog meer vragen dan ervoor. Hanna en ik moesten maar eens op stap gaan.

Rembrandthuis

We gingen eerst naar het Rembrandthuis. Dat staat in het centrum van Amsterdam, in de Jodenbreestraat.

In het Rembrandthuis leerden we dat Rembrandt in 1606 in Leiden werd geboren.

Hij woonde van 1639 tot en met 1658 in dit huis in Amsterdam, dat hij kocht voor 13.000 gulden. Dat was toen enorm veel geld, want een gewone dagloner, iemand die per dag krijgt uitbetaald, verdiende 300 gulden per jaar.

Maar Rembrandt verdiende heel goed. Hij was kunsthandelaar en schilder, kreeg veel opdrachten en verkocht veel werk. Toch gaf hij meer geld uit dan hij verdiende, en hij ging dus failliet.

Doordat hij failliet ging, vond er een boedelbeschrijving plaats. Dat betekent dat alles in het huis werd beschreven, zodat het verkocht kon worden om Rembrandts schulden af te betalen. Door deze beschrijving uit 1656 weten wij nu wat er allemaal in het huis stond en waar bepaalde schilderijen hingen. Verder kon je op sommige schilderijen zien hoe het interieur eruitzag, omdat op zo'n schilderij een deel van zijn huis werd afgebeeld.

Ze hebben het huis zo goed als ze konden aangekleed met dezelfde spullen als er toen waren.

Heel vreemd was het om te beseffen dat Rembrandt en zijn klanten en zijn leerlingen hier echt hebben geleefd. Hebben gelopen, geademd, gewerkt, gelachen en gehuild.

Ik zei dat tegen Hanna en vroeg of zij het ook zo voelde.

'Een beetje,' zei ze.

We kwamen in de keuken en Hanna verbaasde zich over het kleine bed. De audiotour vertelde ons dat ze vroeger het bloed niet naar hun hoofd wilden laten stromen – dat was gevaarlijk, dachten ze. Ze sliepen half zittend.

'Dat lijkt mij vreselijk!' zei Hanna.

In de keuken van het Rembrandthuis is een pomp om water op te pompen. Ik zag dat Hanna erheen liep en trok aan haar arm. 'Niet aankomen! Het Rembrandthuis is geen doe-huis.'

Volgens de audiotour dronken ze geen water, alleen bier met heel weinig alcohol en heel soms wijn, maar die was erg duur.

We keken naar de binnenplaats. Ergens had ik gelezen dat sommige mensen denken dat Rembrandt daar zijn *Nachtwacht* heeft geschilderd onder de overdekte galerij.

Die galerij zagen we niet. Het kakhuis dat daar ooit was ook niet, maar dat vonden we minder erg; alleen al bij de gedachte haalden we alletwee met een vies gezicht onze neus op.

We liepen naar het Voorhuys. Daar kwamen destijds de gasten binnen.

'Veel blote mensen,' zei Hanna en keek om zich heen. Het ging haar natuurlijk om de schilderijen.

Ik keek met haar mee en zag het ook: veel bloot.

We gingen naar de zijkamer en zagen dat er bij het schilderen van het houtwerk een techniek was gebruikt om dingen er anders uit te laten zien: het hout was zo beschilderd dat het eruitzag als marmer. En de kast was op sommige plaatsen donker geschilderd, waardoor het leek of hij van verschillende houtsoorten was gemaakt.

Ik liep achter Hanna aan Rembrandts etskamer in. Er was iemand bezig om uit te leggen hoe dat etsen in zijn werk ging.

In de salon keek Hanna in het bed. Daar had Rembrandt geslapen. Ik snoof eens diep, maar kon zijn geur niet ontdekken – er hing een beetje een muffe lucht. Hier lag ook ooit de eerste vrouw van Rembrandt: Saskia. Ze overleed al jong, toen ze 29 jaar was. Hanna keek in de spiegel die er hing, ze bekeek een onzichtbare pukkel en haalde een korrel mascara onder haar ogen vandaan. De audiotour zei dat een spiegel in die tijd een grote luxe was.

We liepen naar boven en kwamen in het atelier van Rembrandt, een grote ruimte. We stonden stil bij zijn schildersezel, bij zijn verf, de wapens en de gipsafgietsels. Je kreeg zin om je hand plotseling uit te steken, heel snel, en iets aan te raken. Maar dat deden we natuurlijk niet; de suppoost in deze zaal lette erg goed op. Het was een mooie zonnige lentedag, een van de eerste van dat jaar. Het licht was mooi, hierbinnen, in deze kamer op het noorden. De gietijzeren potkachel deed denken aan koude tijden. Rembrandt kon natuurlijk niet schilderen als zijn handen verkleumd waren en het leek mij ook geen pretje voor de modellen als ze naakt of halfnaakt moesten poseren als het koud was.

Ik probeerde mij voor te stellen dat Rembrandt daar stond, in dit licht, bij zijn schildersezel en dat hij naar een model keek. Niet naar haar lijf, maar naar vormen en lijnen.

In de kunstkamer stonden we lang te kijken. Deze kamer had iets weg van een winkel met allemaal leuke spulletjes, alleen kon je ze niet kopen. Hanna keek vol interesse naar de enorme schilden van schildpadden. Ze lachte haar beugel bloot toen ze haar vinger uitstak naar de gordeldieren, en mijn blik zag. We bekeken de soms enorme schelpen, de bijzondere stenen, bustes en speren, en ook de heel oude boeken, waarin Rembrandt prenten van andere kunstenaars bewaarde.

Op de bovenste verdieping bestudeerden we wat etsen. We stonden in de ruimte waar de leerlingen van Rembrandt hun atelier hadden. En toen wilde Hanna naar beneden, naar de winkel.

Rijksmuseum

Hanna en ik bezochten ook het Rijksmuseum, waar *De Nachtwacht* nu hangt. Het museum staat in Amsterdam aan de Stadhouderskade.

We keken rustig naar *De Nachtwacht* of eigenlijk naar *Het korporaalschap van kapitein Frans Banninck Cocq en luitenant Wilhem van Ruytenburch*. Het schilderij is pas later *De Nachtwacht* genoemd, om precies te zijn in 1797 in een brief van ene Lambertus Claessens. Dit had waarschijnlijk twee redenen: ten eerste dat het schilderij vrij donker was; ten tweede dat de schutters die erop zijn afgebeeld als belangrijkste taak hadden om op bepaalde plaatsen in Amsterdam op wacht te staan, ook in de nacht.

Daar stonden we dan op een zonnige middag in het drukke Rijksmuseum en keken naar het bijna vierhonderd jaar oude schilderij. We stonden in de Philipsvleugel, in de aparte zaal waar *De Nachtwacht* tijdelijk hangt, vanwege de grote verbouwing van het museum.

Het viel niet tegen om daar te staan, oog in oog met dit grote meesterwerk. Maar het viel ook niet mee. Dit was het, niet meer en niet minder.

Ondanks alle schoonmaakbeurten is het een vrij donker schilderij gebleven. Het is druk en vol. En groot. Het was ook niet van ons alleen – van Hanna en mij –, maar het is van ons allemaal.

Rembrandt deed er drie jaar over om *De Nachtwacht* te schilderen. Zijn vrouw Saskia overleed in de periode dat hij het maakte. Het bijzondere aan het werk was de opstelling van de schutters. Zij betaalden Rembrandt voor dit schilderij en het was gebruikelijk dat een schilder iedereen er even duidelijk op zette, netjes naast elkaar. Een rijtje duidelijke gezichten. Maar Rembrandt deed dat dus niet. Hij maakte er een levendig geheel van door de schutters af te beelden op het moment van vertrek. Ze stonden door elkaar en niet iedereen was even goed te zien. Sommigen stonden duidelijk vooraan, zoals Frans Banninck Cocq en luitenant Van Ruytenburch, maar anderen stonden erg op de achtergrond. Soms hield iemand zelfs zijn arm voor zijn gezicht, alles om de actie en de spanning van het moment weer te geven.

We keken naar de dode kip aan de gordel van het meisje in het licht, ons meisje. Er kwam een groep naast ons staan, een groep jongeren met een gids. Hanna en ik zetten onze audiotour uit en luisterden onopgemerkt mee.

'De kip, de klauwen van de kip, verwijzen naar het embleem van de Kloveniers; hun naam is afgeleid van het woord "klauw". *De Nachtwacht* kwam te hangen in de grote zaal van de Kloveniersdoelen. Het lijkt niet toevallig dat Rembrandt de kip met klauwen en al heeft afgebeeld,' zei de gids.

Een beetje stil gingen we naar buiten, de zon in en naar de tramhalte.

We ploften neer op het bankje.

'Wat vond je ervan?' vroeg ik.

'Nou,' zei Hanna, 'als je er in het begin naar kijkt denk je: wat een saai schilderij. Maar als je beter gaat kijken, is het toch wel erg mooi. Op mijn audiotour werd gezegd dat er achter de man met de witte kleren een kogel wordt afgeschoten en dat je het vuur nog uit het pistool ziet komen. De man ernaast duwt het pistool snel omhoog zodat er niemand geraakt wordt. En opeens zag ik dat ook. En jij?'

'Ik vond het erg mooi,' zei ik, 'en best bijzonder om het meisje en de jongen van zo dichtbij te bekijken. Sommige mensen denken dat Rembrandts vrouw Saskia model heeft gestaan voor het meisje, maar niemand weet het zeker. Iedereen die het wist, is nu dood.'

'Wat ik wel gek vind,' zei Hanna, 'is dat het schilderij zomaar een heel stuk kleiner is gemaakt omdat het niet paste, na een verhuizing.'

'Jammer, hè?'

Kleiner gemaakt

Rembrandt kreeg in 1638 of in 1639 de opdracht om een schilderij te maken van een bepaalde groep schutters, de Kloveniers. De schutters waren gegoede burgers die functioneerden als beschermers van de stad. Daar waren ze trots op en daarom wilden ze zichzelf graag laten afbeelden, het liefst door een goede kunstenaar.

Elke groep schutters had een eigen wapenspecialiteit. In Amsterdam waren er in die tijd drie groepen schutters, die hun naam dankten aan het wapen waarmee ze schoten: Voetboogschutters, Handboogschutters en Kloveniers. Kloveniers hadden een vuurwapen dat bekendstond als 'klover' of 'klauwier'. Vanaf 1522 hadden de Kloveniers een toren op korte afstand van de gebouwen van de andere schutters. Het was op de plek waar de Amstel samenvloeide met het water van een gracht, en al snel werd die gracht de Kloveniersburgwal genoemd. Die bestaat nog steeds.

Het oefenterrein van de Kloveniers lag in de Doelenstraat, en daar was ook hun vergaderzaal, de Kloveniersdoelen. Die vergaderruimte was pas verbouwd en de schutters zochten voor de wanden een passende wandversiering.

Rembrandt was niet de enige schilder die een opdracht kreeg van de Kloveniers. Er werden zes schilderijen van de schutters besteld, en voor de grote ontvangstkamer boven nog een regentenstuk. Dat is een schilderij waar de mensen op staan die de beslissingen nemen, die regeren. Govert Flinck, ooit leerling van Rembrandt, kreeg zelfs opdracht voor twee schilderijen.

In 1642 voltooide Rembrandt *De Nachtwacht*. Het schilderij werd opgerold naar de Kloveniersdoelen gebracht, want het kon anders niet door de deur of door een van de ramen. In de zaal heeft Rembrandt er toen de laatste hand aan gelegd.

Het schilderij werd niet ingelijst, maar was een deel van de wandbekleding, net als alle andere stukken.

Halverwege de zeventiende eeuw, ruim zeven jaar nadat het af was, schilderde iemand – niet Rembrandt zelf maar een onbekende – een schild op *De Nachtwacht* met daarop de namen van de officieren en manschappen.

De Nachtwacht is heel rijk en vol en ingewikkeld, en zo geschilderd dat je het vooral vanaf een afstand goed kon bekijken. Het was dus meteen al jammer dat het in de Kloveniersdoelen met zes andere schilderijen bij elkaar kwam te hangen.

Verwarming werd in die tijd geregeld met turfkachels en die rookten nogal. *De Nachtwacht* hing naast de kachel! En tabak roken was in zulke gelegenheden toen ook nog niet verboden!

In de 73 jaar dat het in de grote Kloveniersdoelen hing, kreeg het schilderij dus heel wat te doorstaan. Alle schilderijen, ook *De Nacht-wacht*, kwamen in de loop der jaren onder de rookaanslag te zitten, waardoor je steeds minder duidelijk kon zien wat erop stond.

Bovendien leunden er wel eens mensen tegenaan als ze aan het praten waren, en zo ontstonden de eerste beschadigingen op het grote meesterwerk.

In 1715 verhuisde het schilderij naar het Paleis op de Dam. Het werd naar de bovenverdieping, naar de kleine krijgskamer gebracht. Maar de plek waar het moest hangen – tussen twee deuren – was te klein. Het paleis konden ze niet veranderen, maar het schilderij wel: ze maakten het op maat door de zijkanten om te vouwen.

De verf ging natuurlijk brokkelen en daarom werd het omgevou-wen stuk uiteindelijk afgesneden. Het schilderij was eerst 440 bij 550 cm, en het werd nu 363 bij 437 cm. Het grootste stuk ging eraf aan de linkerkant.

Al bijna driehonderd jaar zien we dus niet meer het hele schilde-rij.

Beurs van Berlage

In de Beurs van Berlage bezochten Hanna en ik de tentoonstelling *The complete Rembrandt*, 'De complete Rembrandt'. Er hingen geen echte schilderijen, maar wel waren hier alle reproducties bij elkaar gebracht, dus afbeeldingen van alle schilderijen van Rembrandt.

We gingen naar binnen en dachten dat de tentoonstelling niet zo groot was. Hanna liep in een heel rustig tempo langs de repro-ducties, ik volgde haar. Ze wees details aan: haren, handen, mooie kragen. Regelmatig pakte ze het ernaast hangende vergrootglas en keek, en dan knikte ze. Ze genoot ervan.

We kwamen aan het einde van de eerste lange rij reproducties. Toen keken we de volgende ruimte in en zagen een groot scherm met stoelen ervoor. Er draaide een film, die we bekeken. Er was veel aandacht voor het feit dat *De Nachtwacht* eerst groter was.

'Goed zo,' zei Hanna, 'zo komt iedereen dat tenminste te weten.'

We stonden op om de rest van de tentoonstelling te bekijken.

Uiteindelijk kwamen we bij een deel waar *De Nachtwacht* tentoongesteld werd, in een tweeluik: de 'kleine' *Nachtwacht*, zoals wij die kennen, en de 'grote', zoals die ooit door Rembrandt geschilderd werd.

We namen plaats op twee stoelen en keken. We fluisterden samen over de dingen die ons opvielen.

We keken naar onze Albert.

Naar de bogen in de achtergrond van het werk, die je veel beter kon zien op de 'grote' *Nachtwacht*.

We zagen links de twee figuren die op de 'kleine' verdwenen waren. Nog nooit hadden we ze zo groot en duidelijk gezien. Natuurlijk hadden we in het Rijksmuseum de kopie van *De Nachtwacht* bekeken, geschilderd door Gerrit Lundens. Op die kleine kopie – waarschijnlijk gemaakt voor Frans Banninck Cocq – kon je zien dat *De Nachtwacht* oorspronkelijk groter was, maar hier was het allemaal veel duidelijker.

Later stapten we de grote zaal weer binnen en bekeken we de zelfportretten van Rembrandt. Het scheen dat hij voor die zelfportretten langdurig in de spiegel had gekeken.

Verhalen over het ontstaan van De Nachtwacht

Sommige mensen denken dat Rembrandt wel een idee heeft gehad van hoe het schilderij er ongeveer uit moest gaan zien, maar dat hij er, terwijl hij schilderde, pas achter kwam wat hij echt wilde. Hij maakte geen compositietekeningen vooraf, maar schetste het hele tafereel direct op het doek over een donkere grondlaag.

Waarschijnlijk had hij wel onderzoek gedaan voor hij begon. In 1961 viel het de kunsthistoricus Emil Reznicek op dat De Nachtwacht op een bepaalde manier lijkt op een tekening uit het Rijksprentenkabinet. Het gaat om een tekening van de Vlaamse kunstenaar Jan van der Straet, die leefde van 1523 tot 1605. Op die tekening zie je een optocht door de straten van Florence. Tegen de achtergrond van een poort komen twee centrale figuren naar voren, met om hen heen een heleboel gewapende mannen. Net als op De Nachtwacht!

Waarschijnlijk beschikte Rembrandt over deze prent toen hij De Nachtwacht schilderde. Niet over de originele tekening, maar wel over een prent naar deze tekening, want die waren in die tijd overal in Nederland te koop. En Rembrandt was een groot verzamelaar daarvan.

En dan was er nog een beroemd boek uit die tijd dat ook een rol speelde bij de compositie van De Nachtwacht. Het werd gedrukt in 1607 en het heet Wapenhandelinghe. Het gaat over alles wat met wapens te maken heeft en hoe je ermee om moet gaan, en er staan veel prenten in.

Rembrandt heeft op De Nachtwacht natuurlijk verschillende wapens moeten schilderen, anders zou niet geloofwaardig zijn geweest dat het om schutters ging. Hij schilderde bijvoorbeeld degens en een paar pieken. Aan de rechterzijkant van De Nachtwacht staan er verschillende tegen de achterwand.

Onze Albert, aan de linkerkant, die met de afgezakte helm,

draagt een kruithoorn. De man rechts naast hem draagt een band met kruitmaten. Verder schilderde Rembrandt de musket (vuurwapen), de furket (steunvork voor een musket),de rondas (schild), de borstkuras (soort harnas) en verschillende helmen, waarschijnlijk geïnspireerd op dat beroemde boek *Wapenhandelinghe*.

Hij was een genie, maar zelfs hij had inspiratiebronnen en voorbeelden nodig!

Reizen van *De Nachtwacht*

De Nachtwacht heeft op veel verschillende plaatsen gehangen. Het eerste adres was het atelier of de buitenruimte van Rembrandt in het Rembrandthuis, het tweede adres de Kloveniersdoelen en het derde adres het gebouw dat nu het Paleis op de Dam heet.

In 1799 werd Napoleon, na een grote revolutie en met een staatsgreep, ten slotte keizer van de Fransen. De Fransen bezetten Nederland en de keizer maakte zijn broer Lodewijk Napoleon koning van ons land.

De nieuwe koning had een paleis nodig, maar dat was er niet, dus werd het stadhuis op de Dam gekozen, dat vanaf toen het Paleis op de Dam heette.

Voor Lodewijk Napoleon in het Paleis ging wonen, probeerden mensen *De Nachtwacht* ergens veilig onder te brengen, want ze wilden niet dat de Fransen het schilderij als oorlogsbuit mee zouden nemen.

Waar brachten ze het schilderij naartoe? Daar zijn verschillende verhalen over bekend. Zoals dat Lodewijk Napoleon al onderweg was naar Nederland en mensen *De Nachtwacht* snel onder een van de paleisvloeren hebben verstopt. Daar heeft het lange tijd gelegen en daar zou het zo donker zijn geworden.

Een ander verhaal vertelt dat *De Nachtwacht* meteen door het stadsbestuur naar het Trippenhuis aan de Kloveniersburgwal is gebracht. Koning Lodewijk eiste binnen een paar maanden al de teruggave van het schilderij en dat is ook gebeurd: het ging terug naar het Paleis op de Dam.

Aan het eind van de oorlog tegen Napoleon, na de instelling van het Koninkrijk der Nederlanden, werd *De Nachtwacht* naar het Trippenhuis gebracht en daar bleef het hangen tot het naar het volgende adres ging: het Rijksmuseum. Dat museum was in 1885 klaar en daar kreeg *De Nachtwacht* toen een heel mooie plek.

Het werd eerst nog schoongemaakt door de heer Hopman, met terpentijn.

En daar, in het Rijksmuseum, is het veilig gebleven tot de dag van vandaag zou je denken. Maar bijna honderd jaar geleden, op 13 januari 1911, stapte de werkloze scheepskok A. Sigrist het museum binnen. Hij slenterde door verschillende zalen, keek eens hier, keek eens daar en kwam ten slotte bij *De Nachtwacht*. Voor het schilderij was een mooi koord gespannen om te verhinderen dat mensen er te dicht bij konden komen. Sigrist stond een hele tijd naar het schilderij te kijken.

Toen sprong hij plotseling over het koord heen en gaf met een schoenmakersmes een lange haal over de afbeelding van Frans Banninck Cocq.

Iedereen schrok. De bewakers grepen hem vast.

Op het politiebureau vertelde hij dat hij aandacht vroeg voor zijn werkloosheid. Dat was gelukt, want de volgende dag stond de gebeurtenis in alle kranten.

Gelukkig kon die snede nog gerestaureerd worden, want de verf was niet geraakt, alleen de bovenlaag, het vernis.

De Nachtwacht heeft het Rijksmuseum twee keer verlaten. De eerste keer in 1898, toen het werd uitgeleend aan het Stedelijk Museum. Koningin Wilhelmina werd ingehuldigd en ter ere van haar was er een tentoonstelling helemaal aan Rembrandt gewijd.

De tweede keer dat *De Nachtwacht* het Rijksmuseum verliet, was voor langere tijd, namelijk tijdens de Duitse bezetting tussen 1940 en 1945. De Nederlandse autoriteiten brachten *De Nachtwacht* net voor het uitbreken van de oorlog in veiligheid. Dat deden ze op een vrij bijzondere, om niet te zeggen spectaculaire manier.

De directie van het Rijksmuseum zag de dreiging van een oorlog groter worden en bedacht maatregelen om de kunstschatten te beschermen tegen bomaanvallen. Het museum werd gesloten, er kwamen zandzakken voor de ramen en later ijzeren luiken. Ze lieten een schuilkelder bouwen in de duinen bij Castricum. Dat was een behoorlijke klus, en de schuilkelder was nog niet klaar toen de Duitsers ons land in 1940 binnenvielen.

Meteen verplaatste de directie *De Nachtwacht* naar een andere, geheime plaats: het kasteel Radboud in Medemblik. Ze legden het schilderij in een vrachtauto en brachten het erheen.

Het eerste grote geweld duurde vijf dagen, maar niemand wist hoe lang de oorlog zou gaan duren en rondom Medemblik begonnen de Duitsers vliegvelden aan te leggen. Die zouden door de Engelsen gebombardeerd kunnen worden en dan zou *De Nachtwacht* schade kunnen oplopen.

Gelukkig was de schuilkelder in Castricum bijna klaar. Aan het eind van 1940 brachten ze *De Nachtwacht* stiekem weer per vrachtauto richting Castricum. De vrachtauto moest vaak stoppen vanwege luchtgevechten. De eerste dag kwam men niet verder dan het kleine plaatsje Winkel. Daar werd het schilderij voor een nachtje onder het afdak van een smederij neergezet.

Het kostbaarste schilderij van ons land stond een hele nacht open en bloot bij een smid in Winkel!

Gelukkig liep het goed af en *De Nachtwacht* kwam de volgende dag veilig aan in Castricum, in de schuilkelder. Maar al snel zag men dat die schuilkelder niet voldeed: hij was te laag, en erg klein en vochtig. Er werd een andere schuilkelder gebouwd in de duinen bij Heemskerk. Vanaf 1941 werd *De Nachtwacht* hier opgeborgen.

Maar toen de Duitsers later de kuststreken gingen versterken omdat ze bang waren dat de Engelsen daar zouden landen, was *De Nachtwacht* ook in Heemskerk niet meer veilig.

Er werd een flinke schuilplaats op een heel andere plek gemaakt, namelijk in de gangen van de Sint-Pietersberg bij Maastricht.

Samen met andere kunstschatten werd *De Nachtwacht* in een grote verhuisauto geladen. Die gingen met nog enkele verhuisauto's op een speciale trein naar Maastricht. Daar reden de verhuiswagens in het diepste geheim naar de ingang van de grot. En daar kon *De Nachtwacht* veel langer blijven dan een paar jaar, tot het einde van de oorlog, mei 1945.

In juni 1945 ging *De Nachtwacht* per schip terug naar de hoofdstad, naar het Rijksmuseum. Het schilderij was eindelijk weer thuis! De eerste tentoonstelling heette dan ook 'Weerzien der meesters'.

Het schoonmaken van *De Nachtwacht*

Toen het schilderij weer rustig op zijn mooie plek hing en de eerste drukte rond het weerzien was afgezakt, kwam er tijd voor nieuwe plannen.

De Nachtwacht was erg vuil geworden en had een donkere kleur gekregen.

Er werd een belangrijk besluit genomen: *De Nachtwacht* kreeg nieuw linnen en zou worden schoongemaakt.

Een schilderij van nieuw linnen voorzien, van een nieuw doek, heet 'verdoeken'. Zowel het schoonmaken als het verdoeken hield grote risico's in.

Bij het schilderij *De Staalmeesters*, dat ook te zien is in het Rijksmuseum, kun je op de tafel een prachtig tafelkleed zien liggen. Echt mooi van kleur. Dat kun je vooral zien aan de linkerzijkant. Kijk je naar de voorkant van het tafelkleed, dan zie je dat die juist lelijk is, alsof de kleuren zijn doorgelopen. Dat is nou bij een schoonmaak gebeurd, lang geleden.

Na de Tweede Wereldoorlog was er meer bekend over het schoonmaken van schilderijen en ook geoefend op minder belangrijke werken. De heer Mertens verzorgde de schoonmaak en de heer Jenner verdoekte *De Nachtwacht*.

Hoe *De Nachtwacht* aan zijn naam komt

Over de manier waarop *De Nachtwacht* aan zijn naam is gekomen, doen verschillende verhalen de ronde. Een ervan is dat een zekere Lambertus Claessens het in een brief zo noemde. Een ander verhaal wil dat in 1781 een Engelsman, Joshua Reynolds, over *De Nachtwacht* zei dat het wel 'den nachtwacht' leek.

Van het ooit stralende schilderij van Rembrandt van een groep

trotse schutters, is slechts een afbeelding over van een stel nachtwa-
kers, mensen die in het donker hun ronde deden voor de veiligheid
van alle brave burgers.

Dat het schilderij altijd al donker was of neiging had om donker te
worden, blijkt wel uit het feit dat toen het in het Paleis hing de mensen al vonden dat het tijd werd om het schilderij wat op te knappen.
Het was wel erg donker geworden, en de namen op het schild waren
onleesbaar. Jan van Dijk maakte het schoon. Hij zei: 'Het lijkt wel
overteerd.' Hij bedoelde daarmee dat het leek of het schilderij met
een bruine of zwarte vloeistof was overschilderd. Na de schoonmaak
was het wat lichter, maar na een tijdje kwam de donkere kleur toch
terug.

Toen het schilderij in 1945 verdoekt en schoon was, zag iedereen
weer dat de naam *De Nachtwacht* helemaal fout was: dit was de
Dagwacht! Om duidelijk te maken hoe vies het schilderij was geweest, had de heer Mertens onderaan bij de lijst een vuil stukje laten
zitten, zodat iedereen het verschil kon zien. Ook jij kunt dat gaan
bekijken!

Wat zijn Hanna en ik allemaal te weten gekomen tijdens onze zoektocht?

Heel veel! Hanna en ik hebben van al onze uitstapjes, gesprekken
en activiteiten een verslag gemaakt. Ieder voor zich. Dat werd uiteindelijk een boek van bijna tweehonderd bladzijden. We hebben
opgeschreven wat we tegen elkaar zeiden, wat we aten, wat we dachten, wanneer we moe, boos of bang waren en wat we leerden. Wij
vonden het leuk om te schrijven en het hielp mij ook om alles te

onthouden wat ik tegenkwam. Dat boek van tweehonderd bladzijden hebben we ingekort tot wat jij nu aan het lezen bent.

Hanna heeft boeken en tijdschriften gelezen, zoals het tijdschrift *Dada* van Plint uit 1991 over Rembrandt. Ze vond er mooie foto's in staan van schilderijen, en leuke verhalen.

Ik ben zonder Hanna naar twee lezingen geweest over hoe je waarheid en fantasie kunt vermengen. Dat was wat ik wilde doen met *Voor altijd beroemd*: dingen die echt zijn gebeurd en mensen die echt hebben bestaan, mengen met verzonnen gebeurtenissen en mensen.

Nelleke Noordervliet en Geert Mak vertelden in de ene lezing veel over hoe zij dat doen in hun boeken. Tijdens de andere lezing, van Mark Kremer, leerde ik dat dé waarheid niet bestaat; je vult zelf in hoe iets is of was. Als je met zes mensen naar hetzelfde verjaardagsfeest gaat, vertelt iedereen na afloop iets anders over dat feest.

Het stapeltje boeken op mijn bureau werd steeds hoger. Zo las ik bijvoorbeeld *De kleine keizer*, een boek van Martin Bril over Napoleon, en *De schilder en het meisje* van Margriet de Moor. Maar ook boeken van kenners over Rembrandt, zoals *Ontmoet Rembrandt* van Gary Schwartz, en kinderboeken, bijvoorbeeld *Kinderen van Amsterdam* van Jan Paul Schutten en *Spiegelspreuk* van Lida Dijkstra.

Hanna en ik gingen ook naar Amsterdam, naar de Rozengracht 184, waar Rembrandt na zijn faillissement heeft gewoond. Na zijn dood werd hij in een huurgraf in de Westerkerk begraven.

Een andere keer maakten we samen een wandeling door Haarlem met een gids die vertelde over schilders in de Gouden Eeuw.
Met vrienden bezochten we een tentoonstelling in het Frans Hals

Museum in Haarlem. De tentoonstelling heette 'Rembrandt, een jongensdroom: De collectie Kremer'. Het echtpaar Kremer bleek een echte Rembrandt te bezitten. Ze hadden het gekocht als een werk van een andere schilder, maar later zeiden deskundigen dat het om een originele Rembrandt ging. Het was een klein maar heel mooi werk.

We zijn ook naar een lezing geweest van de heer Eikelenboom, die heel overtuigend vertelde dat *De Nachtwacht* opnieuw zo groot zou moeten worden als hij ooit was. Volgens hem is dat nodig voor hoe je het schilderstuk beleeft. Het middelpunt van het schilderij ligt nu namelijk ergens anders, waardoor je manier van kijken verandert. In plaats van dat het lijkt alsof de groep klaarstaat om te vertrekken en al bijna op je afkomt, zoals Rembrandt het bedoeld heeft, komt het nu over alsof ze zover nog niet zijn. Meneer Eikelenboom vertelde dat schilders van nu *De Nachtwacht* weer kunnen uitbreiden naar de oorspronkelijke grootte.

Op zoek naar een verhaal voor een kinderboek

Het was de laatste schooldag van Hanna. Ze kon met mij meedenken over het jeugdverhaal. We zouden iets verzinnen wat iedereen kon geloven.

Hanna en ik zaten samen in de tuin. Ik vertelde over het begin, midden en eind van een verhaal. Over personages en over plot. Dat de hoofdpersoon iets moet willen, dat er sprake moet zijn van een probleem, een vraag, een conflict, een dilemma, een verlangen.

Ik zette een boek over Rembrandt open op de tuintafel en we keken naar *De Nachtwacht*.

Ik vatte onze tocht samen: wat we hadden gedaan, gezien, dat we op weg waren naar het idee voor een verhaal, en dat dat niet niks was. Dat we verschillende verhalen waren tegengekomen. Dat niemand dé waarheid kent, en dat het daarom misschien juist leuk was dat wij er nog een verhaal bij bedachten.

We verzonnen samen negen plannen. Die plannen zette ik op een plekje in mijn hoofd waar het rustig is. Tijdens de zomermaanden ontstond langzaam een compleet verhaal. Het verhaal dat *Voor altijd beroemd* is geworden. Ik kon het met hulp van Hanna en van ons onderzoek verzinnen.

Ik hoop dat als jij naar *De Nachtwacht* gaat kijken en een kleine jongen met een scheefgezakte helm links op het schilderij ziet, dat je dan denkt: dat is Albert.

Dan kan ik heel trots zijn op het werk van Hanna en mij.